La Terre des Elfes

Tome 3

Danielle Dumais

Éditeur : François Doucet
Révision linguistique : Daniel Picard
Correction d'épreuves : Katherine Lacombe, Nancy Coulombe
Conception de la couverture : Tho Quan
Photo de la couverture : © Thinkstock
Mise en pages : Sébastien Michaud
ISBN papier 978-2-89667-485-5
ISBN numérique 978-2-89683-241-5
Première impression : 2011
Dépôt légal : 2011
Bibliothèque et Archives nationales du Québec
Bibliothèque Nationale du Canada

Éditions AdA Inc.
1385, boul. Lionel-Boulet
Varennes, Québec, Canada, J3X 1P7
Téléphone : 450-929-0296
Télécopieur : 450-929-0220
www.ada-inc.com
info@ada-inc.com

Diffusion

Canada :	Éditions AdA Inc.
France :	D.G. Diffusion Z.I. des Bogues 31750 Escalquens — France Téléphone : 05.61.00.09.99
Suisse :	Transat — 23.42.77.40
Belgique :	D.G. Diffusion — 05.61.00.09.99

Imprimé au Canada

Participation de la SODEC.
Nous reconnaissons l'aide financière du gouvernement du Canada par l'entremise du Programme d'aide au développement de l'industrie de l'édition (PADIÉ) pour nos activités d'édition.
Gouvernement du Québec — Programme de crédit d'impôt pour l'édition de livres — Gestion SODEC.

Catalogage avant publication de Bibliothèque et Archives nationales du Québec et Bibliothèque et Archives Canada

Dumais, Danielle, 1952-

Les 5 derniers dragons
Sommaire: t. 1. L'enlèvement -- t. 2. L'épreuve -- t. 3. La terre des elfes.
Pour les jeunes de 10 ans et plus.
ISBN 978-2-89667-410-7 (v. 1)
ISBN 978-2-89667-411-4 (v. 2)
ISBN 978-2-89667-485-5 (v. 3)

I. Titre. II. Titre: Cinq derniers dragons. III. Titre: L'enlèvement. IV. Titre: L'épreuve. V. Titre: La terre elfes.

PS8607.U441C56 2011 jC843'.6 C2011-9413
PS9607.U441C56 2011

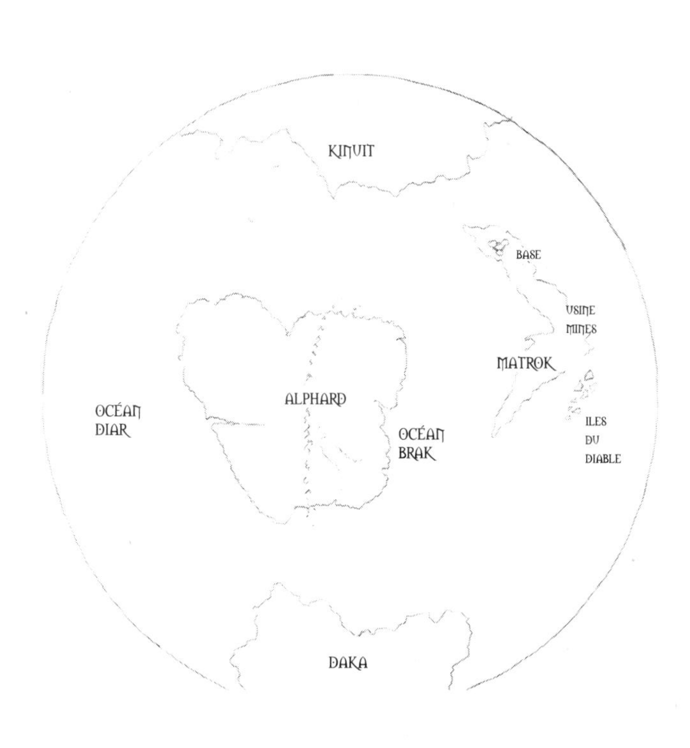
KINUIT
BASE
USINE
MINES
MATROK
ALPHARD
OCÉAN
DIAR
OCÉAN
BRAK
ILES
DU
DIABLE
DAKA

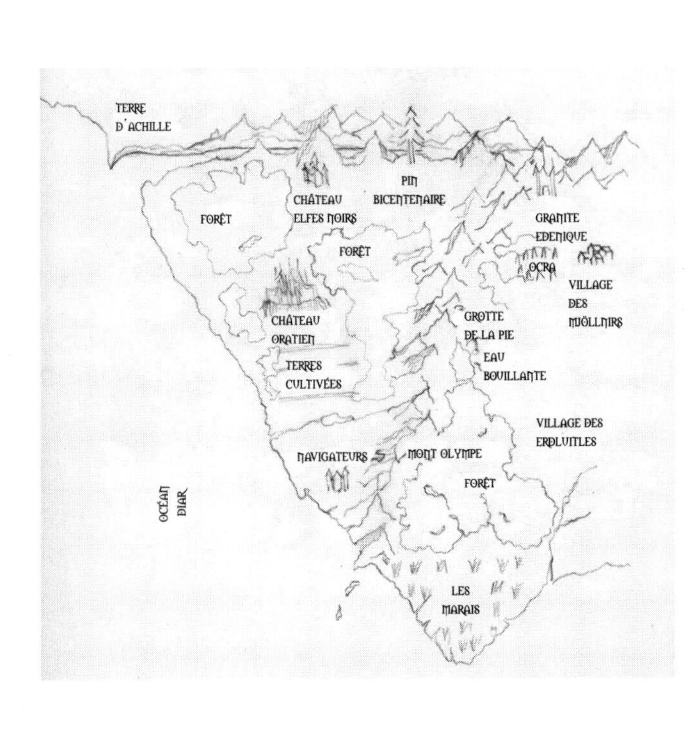
TERRE
D'ACHILLE
PIN
BICENTENAIRE
CHÂTEAU
ELFES NOIRS
FORÊT
FORÊT
GRANITE
EDENIQUE
OCRA
VILLAGE
DES
MJÖLLNIRS
CHÂTEAU
ORATIEN
GROTTE
DE LA PIE
EAU
BOUILLANTE
TERRES
CULTIVÉES
VILLAGE DES
ERDLUITLES
NAVIGATEURS
MONT OLYMPE
FORÊT
OCÉAN
DIAR
LES
MARAIS

PROLOGUE

De nombreux peuples elfiques habitaient la terre des Elfes. Trois se démarquaient parmi les autres : les Navigateurs, les Oratiens et les Elfes noirs.

Les Oratiens habitaient la plus grande partie du territoire et leur population était concentrée au centre. Au sud-ouest, les Navigateurs étaient installés le long du littoral et aimaient l'aventure et la mer, tandis que les Elfes noirs peuplaient le nord du pays et préféraient la vie sous terre.

Les Oratiens étaient considérés comme un peuple joyeux, pacifique et élégant, aimant contrôler les autres peuples.

Bien qu'ils soient tous originalement des végétariens, les Elfes noirs consomment davantage de viande et les Navigateurs, des produits de la mer : algues, poissons et crustacés. Les Oratiens profitent de l'abondance d'une main-d'œuvre particulière : les humains. Ces derniers cultivent leurs terres et leur fournissent les fruits, les légumes et les produits laitiers. En retour, les Elfes les protègent contre toute invasion possible. Grâce à leur vue perçante et leur habileté aux maniements des armes, les humains se sentent en sécurité.

Les Elfes noirs sont les mal-aimés parmi les Elfes. Et pourtant, sans eux, les Oratiens ne pourraient vivre confortablement dans leurs grandes et élégantes demeures. Ce peuple peu apprécié, vivant sous terre, extrait du charbon.

Leur espérance de vie est si longue qu'on les croit immortels et pourtant, seuls le fer et le chagrin mettront un terme à cette longévité.

CHAPITRE I

LA PIE

La veille, la jeune troupe s'était installée au pied de la chaîne de montagnes séparant le territoire de Mjöllnirs de la Terre des Elfes. À l'aube de ce premier matin, l'air était frais et humide en ces lieux. Une brume diaphane s'élevait. Des rayons de soleil rougeâtres encore craintifs perçaient et coloraient le paysage. Ce voile s'amenuisait et l'astre diurne brillait avec de plus en plus de clarté et de chaleur.

Inféra et Nina dormaient encore sous leur chaude couette. Picou devait sommeiller quelque part sous la couverture de la dragon-fée. Andrick se préparait un thé et Arméranda examina la carte d'Éridas qu'un Erdluitle avait dessinée.

– Si nous allions faire un dernier survol pour vérifier l'exactitude de la carte pendant que tout est calme ? demanda Arméranda en s'adressant à Andrick. Je n'ai pas survolé la région comme Nina et toi.

– J'ai eu... comme qui dirait... un empêchement, ajouta-t-elle avec ironie.

Son compagnon comprit l'allusion à laquelle elle faisait référence, son séjour forcé par les Mjöllnirs dans une crypte. Cette expérience déconcertante la fit réfléchir. Elle qui se croyait à l'abri de toute attaque, ou du moins immunisée contre toute atteinte, avait été kidnappée sans qu'elle puisse intervenir. Elle n'avait rien senti, rien vu. Ses cinq sens n'étaient donc pas aussi aiguisés qu'auparavant. Un doute s'installa au sujet de son hypersensibilité à détecter la moindre personne ou menace. Ne voulant pas inquiéter outre mesure son compagnon de cette crainte de la perte de ses facultés sensorielles si précieuses en territoire inconnu, elle s'abstint d'en parler. La carte était un prétexte pour oublier cette pensée négative.

– C'est une excellente idée, surtout que nous nous sommes perdus à certaines reprises, et je ne sais pas par quel miracle nous avons atteint le village en tirant cet énorme parangon auquel les Mjöllnirs tenaient tant. Éridas nous avait pourtant parlé de labyrinthes que je n'ai jamais vus. Le moment est propice. Les Croqueurs d'os se couchent et les autres habitants ne sont pas encore levés.

La jeune femme se versa une tasse de thé et souffla dessus pour le refroidir. Elle acquiesça :

– Tu as entièrement raison. Quel nom donnerons-nous à ce territoire ?

– Pourquoi pas la Terre des Quatre Peuples ? suggéra Andrick en buvant son breuvage du bout des lèvres.

– C'est vrai. Il y a les Mjöllnirs, les Fées, les Erdluitles et les sympathiques Croqueurs d'os, ceux-là mêmes qui m'ont fait croire que mes derniers jours étaient arrivés.

En entendant le commentaire de sa copine, Andrick glousse de rire et faillit se brûler avec sa boisson chaude.

– Quelle frousse ils nous ont donnés ! Moi aussi, j'ai bien cru y passer.

Ils se remémorèrent les lieux et ces affreux personnages hideux qui rôtissaient un petit mammifère. Pendant un moment, la troupe crut que c'était Picou. Heureusement, ce dernier avait rencontré les Erdluites qui avaient démontré beaucoup de courage pour accompagner un rat parlant et délivrer ses amis. Grâce à eux, la mort certaine de Nina avait été évitée.

– Si Picou n'avait pas réussi à les convaincre de nous délivrer, nous ne serions pas ici en train de boire un thé. Bon ! Le ciel s'éclaircit. Je crois qu'il est plus que temps d'y aller, fit Andrick en reposant sa tasse près du feu et en se relevant.

Il alla réveiller sa sœur et lui expliqua la raison de leur départ. Nina, à demi réveillée, n'émit aucune objection et souhaita à tous les deux une bonne envolée. Elle referma les yeux et imagina un prince charmant aux yeux bleus, aux cheveux blonds et aux habits somptueux. Sans faire de bruit, ils montèrent sur des dragnards laissant Nina, Picou, Inféra, Orphée avec ses trois petits et Horus derrière.

À son réveil, Inféra fut furieuse de constater l'escapade d'Andrick et d'Arméranda. Elle s'en prit à Nina. La jeune fée expliqua leur absence, ce qui augmenta sa colère.

– Je sais bien. Il l'aime plus que moi, dit-elle d'un ton frustré.

– Non, tu ne vas pas recommencer, dit Picou. Tu oublies que nous avons une mission, celle de réunir les cinq dragons, et ainsi tu seras enfin libérée de celui que tu portes. Concentre-toi sur cette assignation et tout ira bien.

– N'empêche, il ambitionne, fit-elle en croisant les bras.

– Tu oublies que tu dois contrôler tes émotions et faire la part des choses. Tu es très belle et tu trouveras ton prince charmant, que ce soit Andrick ou un autre, poursuivit Picou.

– Je suis plus belle qu'Arméranda ?

– Quelle question ! Mais oui, tu es la fée la plus ravissante que je connaisse, avoua le rat. Tu as vu comme les Mjöllnirs t'adoraient.

Et il était sincère. Sa chevelure flamboyante, la pâleur de son teint et ses yeux verts brillants comme des émeraudes le chamboulaient. Et que dire de sa voix mélodieuse de soprano colorature.

— Ils adoraient aussi Arméranda, rouspéta la dragon-fée.

— Et moi, les Croqueurs d'os m'aimaient à la folie au point qu'ils voulaient me manger, ironisa Nina, ou plutôt devrais-je dire me croquer les ailes.

Sur le coup, Inféra se renfrogna, puis elle pouffa de rire. Les deux demoiselles se bidonnèrent et le compagnon magicien de la dragon-fée se joignit à leur fou rire. Non loin de là, Orphée prenait soin de sa progéniture. Les petits couraient en rond en essayant de mordre leur queue. Inféra s'empara de la mignonne Coquette, une femelle à la fourrure blanche et aux oreilles brunes.

— Tu oublies qu'il n'y a pas seulement toi qui sois à la recherche d'un prince charmant, soupira Nina. Moi aussi, j'en veux un, grand et fort, un plus beau que mon foutu de frère. Il est tellement… tête enflée.

Et elles repartirent à rire de plus belle.

Arméranda apprécia la dragnarde Féerie. Bien que Horus puisse voler depuis l'acquisition d'ailes, il n'avait pas cette puissance d'envol et ne s'élevait pas aussi haut que les dragnards. De plus, le vol de Féerie était plus stable, moins chaotique. Étant donné cet aplomb, elle put aisément apporter des corrections à la carte à l'aide d'un fusain, un branchillon calciné. Ils planèrent au-dessus de la chaîne de montagnes, le Vouvret. Ensuite, ils aperçurent une trouée dans le flanc d'un versant et une chute d'eau, le passage où séjournait le gardien Séa qu'elle avait tué. Ils passèrent au-dessus du village des Erdluites. Ce peuple vivait au pied des montagnes et travaillait dans les champs juxtaposant la grotte des Croqueurs d'os installés en surplomb dans les hauteurs. Quelques lève-tôt étaient déjà aux champs et les saluèrent à leur passage.

Du haut des airs, les cavaliers comprirent la proximité de ces deux peuples et la peur engendrée par ces vilains vivant en montagne au-dessus de leurs têtes, ce qui en faisait un danger constant. Éridas avait parlé des labyrinthes dans le territoire voisin et pourtant, ils ne les avaient pas encore localisés. En survolant les forêts, près de la source chaude appelée Eau bouillante, des configurations biscornues apparurent, construites partiellement en végétaux et en pierre.

— Voilà ce qu'on recherchait, dit Arméranda tout excitée.

Elle traça la configuration insolite du labyrinthe du mieux qu'elle put. Il y avait une entrée, une sortie et des sentiers compliqués à dessiner. Puis, tous les deux atterrirent et s'amusèrent une bonne heure à parcourir chacun une partie du labyrinthe. Heureusement que les hennissements des dragnards permirent de retrouver l'entrée et d'en sortir sans difficulté. À la lueur du jour, les pierres blanches se confondaient avec les autres, celles-là mêmes qui avaient aidé Éridas à s'extirper de ce réseau, il y a de cela plusieurs années.

— Vraiment intrigant, dit Arméranda à la sortie du labyrinthe.

— Il faut un esprit tordu pour construire ces dédales végétaux et pierreux.

— Tu as raison. Ces constructions sont trop bizarres, elles doivent avoir une raison d'être ainsi.

— Tu veux dire qu'elles pourraient constituer un message ?

Arméranda examina son tracé.

— On dirait une trace d'oiseau, finit-elle par dire.

— C'est vrai. C'est peut-être la signification d'un avertissement.

— Tu crois ?

— Ou tout simplement la reproduction d'une empreinte.

Ils reprirent leur chevauchée. Le territoire était plus petit qu'ils se l'étaient imaginé et, au bout de deux heures, le repérage prenait fin. Ils refirent un deuxième survol en longeant davantage les limites et ils passèrent au-dessus du village de Mjöllnirs, puis au nord, au-dessus de la cité des Fées et du repaire de la pie géante, la voleuse de pierres précieuses. Ensuite, ils longèrent les montagnes à l'ouest.

Contrairement à Dorado, les rives aux abords de l'océan étaient inhabitées et inhospitalières à une population humaine. Des marécages et des roseaux communs couvraient une grande superficie. Plusieurs espèces d'oiseaux appréciaient ce coin humide bourdonnant d'insectes et d'endroits pour se cacher et pour nidifier.

La brume s'était dispersée et le soleil était radieux. Ils prolongèrent leur balade en survolant à nouveau la forêt. Ils passèrent au-dessus des tunnels souterrains de dématérialisation, visibles d'en haut en raison du peu de couverts végétaux. Avant de longer les montagnes frontalières de la Terre des Elfes, ils passèrent en face de la caverne de la pie. Cette fois-ci, l'énorme volatile se tenait à l'entrée de son domicile. Elle les localisa et s'élança vers eux. Nos deux compagnons entendirent un bruit menaçant et régulier de battements d'ailes s'amplifiant et se rapprochant à une vitesse prodigieuse.

– Andrick, cette pie semble ne pas apprécier notre venue ! cria Arméranda.

– Tu as raison. Éloignons-nous d'ici au plus vite !

Elle fonçait sur eux à vive allure. Même s'ils firent accélérer la cadence des dragnards, ils ne réagirent pas aussi vite qu'ils l'auraient cru. La pie piqua droit sur Andrick.

Il eut juste le temps de tirer sur sa gauche et Frivole s'inclina. Le monstre frôla sa tête et il claqua ses deux mandibules cornées dans le vide. L'oiseau tournoya sur lui-même et prit en charge Arméranda. Cette dernière avait déjà sorti son arc et décocha une flèche. Elle avait mal jugé la vitesse de la bête qui battait des ailes avec force. À son grand désespoir, la flèche fila à quelques millimètres au-dessus de la tête. La bête se redressa et allongea ses pattes pour saisir Féerie. Ses griffes pénétrèrent dans la chair et la dragnarde hennit de douleur. De ses deux ailes, elle enveloppa le devant du mammifère et plaça sa tête au-dessus d'Arméranda. L'arc devint inutile et celle-ci chercha à dégainer son épée. Elle n'eut pas le temps. De son bec acéré, la pie mordit l'épaule de la cavalière et la tira vers elle. Arméranda se sentit soulevée.

Andrick comprit vite sa manœuvre. Elle consistait à l'élimination de son amie en la déstabilisant et en l'envoyant au sol comme un vulgaire chiffon. Il dut agir vite. Il sortit sa baguette magique et la pointa vers le monstre ailé. Sans réfléchir, il cria :

– Que ton cœur s'immobilise !

La pie ouvrit sa mâchoire et Arméranda retomba sur la selle. Il en fallut de peu pour qu'elle soit projetée hors de sa monture.

Le mouvement d'ailes de ce gros oiseau perdit rapidement de sa puissance. Quelques secondes plus tard, la pie s'immobilisa en position déployée. Elle ne respirait plus et amorça un vol plané descendant. Elle retenait toujours Féerie qui hurlait de douleur. Arméranda se concentrait pour rester en place, bien que la situation ne soit pas des plus réjouissantes. Enfin, ce grand monstre fut agité par plusieurs secousses et ses griffes se desserrèrent. Elle lâcha prise et libéra Féerie. Elle tomba en vrillant un court moment. Sa chute se termina en fracassant de nombreux arbres. Le jeune magicien la vit inerte, les yeux béants et le bec ouvert. Elle était horrible à voir. Quelques arbres lui transperçaient le corps.

Andrick porta son regard vers sa camarade. Elle perdait beaucoup de sang. Elle tenait faiblement les rênes. Sa tête pendouillait mollement sur le cou de la monture. Malgré ses blessures, Féerie tenait bon. Il commanda à la dragnarde d'atterrir près de la source bouillante. Une fois sur la terre ferme, il fit glisser sa copine dans ses bras et la déposa au sol. Il aspergea ses blessures d'eau guérisseuse. La plaie se cicatrisa instantanément.

– Repose-toi pendant que je m'occupe de Féerie.

Le jeune magicien examina les lacérations profondes de Féerie. L'eau guérisseuse fit son effet et la dragnarde était prête à repartir, ce qui n'était pas le cas de sa copine. La jeune cavalière avait tenté de se relever, mais des étourdissements l'empêchèrent de se tenir debout.

– Je ne sais pas ce que j'ai. Tout tourne autour de moi.

– Ne t'en fais pas, tu as perdu trop de sang, il faut que tu te reposes.

Andrick s'assit près d'elle et attendit qu'elle récupère en mâchouillant quelques brins d'herbe.

– Tu devrais… me laisser ici… et informer ta sœur, finit-elle par articuler.

– Te laisser seule, jamais de la vie ! Il y a trop d'inconnus dans ce pays. Et puis, ma sœur ne s'inquiète sûrement pas pour nous. Elle doit traîner au lit et rêver à comment me ridiculiser. C'est son activité préférée.

– Si tu le dis. Tu sais… poursuivit-elle, les labyrinthes… c'était sûrement un signe, un genre d'avertissement, puisque ce symbole n'était visible que d'en haut.

— Tu as raison, comme pour nous indiquer que le territoire est protégé par un oiseau. Mais j'y pense, observa Andrick, nous avons peut-être tué un protecteur de la région.

— Peut-être bien.

Ils se remémorèrent les dires de Vatir, le chef des Mjöllnirs. Ce gros passereau à plumage bleuté était une protection contre les intrus. Le fort vent qui les avait accueillis, lors de leur premier vol au-dessus du territoire des Nains, avait permis d'éviter cette confrontation. Ils avaient atterri à l'un des tunnels de dématérialisation.

Plus loin, Nina, Inféra et Picou virent l'attaque. Sans trop comprendre ce qui se passait, la dragon-fée déduisit le pire. Nina se faisait du mouron pour son frère. Elle marchait de long en large et ses ailes battaient à une vitesse incroyable sans qu'elle s'élève dans les airs, à la manière d'un colibri faisant du surplace. Ce mouvement créait un bruit agaçant de clappements.

– Hé, ne pourrais-tu pas arrêter de bouger comme ça ? demanda Inféra.

– Quoi ? fit Nina en agitant encore plus frénétiquement ses ailes.

– TES AILES, crièrent en chœur Inféra et Picou.

– Pardon, pardon, je suis si inquiète pour mon frère, dit-elle sans pour autant cesser cette manie.

– NOUS AUSSI, se surprirent à dire à nouveau à l'unisson la dragon-fée et le rat magicien.

– D'accord ! D'accord ! Je me tranquillise, fit-elle en allongeant ses bras vers le bas et en ouvrant en éventail ses mains.

Ce geste provoqua l'arrêt instantané du mouvement de ses ailes. Elle stoppa sa marche et s'assit en tailleur. Les mains jointes et les yeux fermés, elle inspira longuement l'air vaporeux du matin et communia avec l'esprit de son frère. Elle sentit le sang de son frère battre dans ses veines. Lorsqu'elle ouvrit les yeux, elle déclara :

– Andrick n'est pas mort.

– Alors, comment peux-tu expliquer que nous ne les voyons plus, ni les dragnards, ni la pie ? demanda Inféra, surprise de sa conclusion.

– Parce que je le sens vivant dans mon cœur. Les yeux sont quelquefois inutiles. Ils ne voient que ce qu'ils veulent voir, répondit Nina calmement.

Loin de la réconforter, cette répartie poussa Inféra à expirer avec violence en signe de désapprobation.

– Ah! rugit-elle. Comment peux-tu en être sûre? Tu devrais y aller ET VÉRIFIER DE TES PROPRES YEUX.

– Et risquer QU'ELLE AUSSI DISPARAISSE, cria Picou en désapprouvant la proposition de sa compagne. D'ici, on ne sait pas si la pie a gagné et... elle est peut-être...

Picou n'osa formuler sa pensée.

– Elle est peut-être... hésita-t-il à poursuivre, peut-être... en train de les dévorer. J'espère que non... Nous devons attendre... Andrick et Arméranda éprouvent peut-être quelques difficultés...

Chassant ce mauvais raisonnement, il déclara :

– Je suis convaincu qu'ils nous rejoindront bientôt. Cette bête à plumes n'a pas pu tuer les dragnards et... nos amis d'un seul coup et toute seule.

Les yeux de la porteuse de dragon s'embrouillèrent.

– Quelle idée d'aller faire du repérage ! Tout ça pour une carte, poursuivit-elle en sanglotant. Ça doit être une idée brillante de cette chère Arméranda.

– Tu oublies que c'est nécessaire, affirma Picou, la carte était incomplète et il existe une possibilité que nous repassions par ici, dans ces lieux.

– Ah ! Je n'avais pas pensé à ça, dit Nina. Il nous faudra revenir sur nos pas.

– En attendant, j'ai une petite faim. Un bon ragoût de légumes serait le bienvenu. Qu'en pensez-vous ? On le fait ?

– Comment peux-tu penser à manger dans des circonstances si tragiques, Picou ? lança sa compagne.

Choquées de son indifférence quant à la probabilité d'un malheur, les deux demoiselles croisèrent les bras. Il comprit leur refus de coopérer. Résigné, il partit à la recherche de nourriture dans les environs.

Lorsque le soleil atteignit le zénith, le groupe vit à son grand soulagement les deux dragnards arriver avec leur cavalier.

– Que s'est-il passé? s'écria Nina en voyant la tunique déchirée et tachetée de sang d'Arméranda.

– La pie nous a attaqués. Malheureusement, elle est morte, répondit le jumeau en mettant pied à terre.

– Pourquoi malheureusement? questionna Inféra.

– Je crains que la pie n'ait un rôle de protection du territoire, déclara Arméranda. Vatir en avait glissé un mot. Son gigantisme ne permettait à aucun intrus de la confronter. Lorsqu'elle nous a aperçus, elle a fait ce qu'il était convenu de faire. Elle a foncé sur nous dans le seul but de nous éliminer. Tout comme Séa qui protégeait le passage entre Dorado et ce territoire que nous avons identifié comme la Terre des Quatre Peuples. Peut-être venons-nous de détruire un équilibre, une harmonie fragile?

– Sûrement, dit pensivement Picou. Nous sommes mieux de quitter les lieux dès que possible. Je crois que les Nains ne seront pas très heureux de l'apprendre.

– Oui, je te l'accorde, affirma Andrick, mais pas avant d'avoir dégusté ce qui sentait si bon dans cette marmite.

Dans un gros chaudron, un bon bouillon de tubercules et d'herbes sauvages mijotait.

– Oui, mes deux compagnes m'ont beaucoup aidé, ironisa Picou.

Nina fit la moue et Inféra fixa le ciel. Andrick comprit l'allusion et déclara :

– Par bonheur, il vous pardonne et vous invite à vous joindre à nous.

Avec un peu de pain et du fromage, ils furent vite rassasiés.

CHAPITRE 2

LA MISSION

À plus de 5 765 kilomètres du lieu de naissance de la princesse Launa, la commandeure Mélissa Style et le capitaine Ian Prévenu partirent en pleine nuit, tous deux munis d'appareils de détection, pour une mission top secrète d'exploration minière près du lac Cristal. En moins d'une heure, ils survolèrent la place. Le soleil n'était pas encore levé. Ils atterrirent non loin du lac, dans une clairière. À l'aide de leur scouteur volant, ils se dirigèrent vers la grotte située sous la chute. Ils délaissèrent leur moyen de locomotion pour s'engouffrer dans une petite ouverture cachée sous ce rideau d'eau, en transportant leurs détecteurs d'actinide.

À l'aide de leur lampe de poche, ils éclairèrent le sol et marchèrent avec précaution sur des cristaux coupants et glissants qui contenaient une faible dose du minéral recherché. Une fois bien à l'intérieur, ils éteignirent leur lampe et suivirent une illumination bleutée. Elle débouchait sur une vaste salle éblouissante de lumière dégagée par l'actinide. Ils furent saisis par la beauté de ce lieu aveuglant. Toutes les parois étaient recouvertes de ce minéral si cher aux Erratiens. Ils avaient une telle quantité de ce minerai que le détecteur n'afficha que des zéros, indiquant son incapacité à chiffrer la quantité phénoménale de ce gisement.

— Je n'ai jamais vu une telle abondance en un seul lieu ! s'exclama le capitaine en se couvrant les yeux.

— Moi non plus. En une nuit, nous pourrions faire une seule extraction et quitter pour de bon cette planète pour enfin nous retrouver chez nous.

— En effet, ma commandeure.

Un bruit suspect d'une roche se décrochant d'une paroi et roulant au sol les fit sursauter.

— Oh ! Il nous faut quitter les lieux, chuchota le capitaine. Je perçois des présences.

Des hommes aux visages graves et vêtus d'une armure en cuir noir apparurent. Ils bloquaient la sortie et ils commencèrent à les encercler en brandissant de longues épées acérées. Les deux Erratiens comprirent l'urgence de réagir. Sous le coup de l'adrénaline, ils dégainèrent leur pistolet et tirèrent en leur direction. Plusieurs décharges électriques firent tomber les hommes en armure et les paralysèrent. Sachant que cette paralysie ne durerait qu'un court moment, les deux étrangers parcoururent le trajet en sens inverse en évitant de marcher trop près des hommes étendus au sol, redoutant qu'ils ne saisissent leurs jambes ou leur infligent un coup avec leur arme.

À la sortie de la grotte, Mélissa glissa sur des cristaux et se fendit un genou. Elle se releva, mais son genou n'obéit pas. Elle retomba et se coupa les deux mains profondément sur des roches pointues. Incapable de marcher, elle assuma sa fin.

Voyant que sa commandeure n'était pas derrière lui, le capitaine revint sur ses pas. Il la vit là, blessée et vulnérable. Il vint pour la soulever. Elle refusa catégoriquement son aide.

– Sauve-toi, je suis incapable de marcher, mieux vaut juste un mort que deux.

Malgré qu'il ait éprouvé de la jalousie envers cette commandeure à plusieurs reprises dans le passé, son devoir lui ordonna de la sauver.

– Ne dites pas de bêtises, fit-il en la soulevant.

Malgré son poids supplémentaire, il parvint à l'emplacement des scouteurs en quelques minutes, un laps de temps qui lui parut interminable. Fort heureusement, leurs moyens de locomotion étaient intacts, soit parce qu'ils n'avaient pas été découverts, soit parce qu'on n'avait pas jugé bon de les rendre non-opérationnels. Le capitaine ne put s'empêcher de dire :

– Je remercie les cieux qu'ils soient si imbéciles.

Malgré ses blessures importantes aux mains, l'adrénaline et son instinct de survie firent leur effet sur la commandeure. Elle démarra l'engin qui s'éleva. Ils atteignirent leur vaisseau en deux minutes. Une fois à l'intérieur du grand véhicule, elle se mit aux commandes sans hésiter et sans réaliser l'envergure de ses blessures.

Entretemps, ces hommes vêtus de noir parvinrent à se relever et à atteindre la sortie de la grotte. D'autres personnages vêtus d'une toge blanche se joignirent à eux. Ces derniers tendirent chacun une main pour lancer un sortilège en direction de l'engin qui se figea immédiatement dans l'espace.

– Commandeure, qu'est-ce qui se passe? demanda Ian assis à un fauteuil et projeté vers l'avant par l'arrêt soudain du vaisseau.

– Je n'en sais rien. Je pousse au maximum les moteurs, mais nous faisons du surplace.

Ian jeta un regard oblique à son hublot et observa l'attroupement au sol. Il s'écria :

– Commandeure, ce sont eux! Ils retiennent notre vaisseau.

– Tu veux dire qu'ils nous attirent vers eux. Nous perdons de l'altitude. Si je ne peux contrer cette attraction, nous allons nous écraser au sol comme des punaises, dit-elle en poussant avec force une manette qui vibrait.

Un bruit sourd se fit entendre, suivi d'autres encore. Mélissa fit pivoter le véhicule sans inconvénient en direction de ce vacarme. De la baie vitrée, elle vit d'autres hommes portant des armures métalliques. À l'aide de catapultes, ils les bombardaient de grosses roches. Un peu plus loin, des hommes et des femmes habillés de blanc tendaient leurs bras vers eux. Les moteurs commençaient à montrer des signes de surchauffe et ces boulets risquaient d'endommager sérieusement la coque de l'appareil. Mélissa se rappelait de la description de ces personnages qu'en avait faite Launa.

– Ce sont des chevaliers de l'Actinide, des cygnes-magiciens et des cygnes-fées réunis pour nous anéantir. Launa m'en avait déjà parlé. C'est la première fois que j'en vois. Ils ont le don de se confondre avec le paysage.

– Pas aujourd'hui, ma commandeure, plaisanta Ian.

Le vaisseau continuait à vibrer. Mélissa serra les dents. Elle commençait à en avoir assez de leur intervention.

– MERDE, ENCORE DEUX MINUTES DE CE TRAITEMENT ET ON PARLERA DE NOUS AU PASSÉ. CES VERRATS ! NON,

VOUS NE M'AUREZ PAS, PAS AUJOURD'HUI, VILAINES CRÉATURES!

Ian n'avait jamais entendu sa commandeure s'impatienter depuis qu'il la connaissait. Les moteurs émettaient des sons si assourdissants qu'il commença à craindre pour sa vie. Pourtant, Mélissa gardait espoir, elle maintenait fermement les commandes malgré les tremblements de l'appareil et malgré les souffrances. Ses mains étaient en piteux état et elle transpirait abondamment.

Soudainement, ils furent projetés à plusieurs centaines de kilomètres en moins de deux secondes comme un boulet propulsé par un canon. Elle comprit que le sortilège avait cessé son emprise. Elle inversa immédiatement les moteurs pour éviter qu'ils soient expulsés au-delà du champ d'attraction de la planète. Elle mit le cap vers la base.

– SACRE BLEU, QUOI ENCORE?

Plusieurs cadrans sonnaient l'alarme et indiquaient que les moteurs surchauffaient. Un des réservoirs fut endommagé lors d'un des bombardements et le carburant de ce réservoir devint inexorablement inaccessible. Elle éteignit les systèmes électriques et de refroidissement pour minimiser les dépenses énergétiques. Tant qu'il y avait du combustible, le vaisseau volait, mais le système de direction allait bientôt devenir non fonctionnel. Ce n'était qu'une question de secondes. La chaleur était étouffante aux commandes.

– ALLEZ, MA VIEILLE, ENCORE QUELQUES KILOMÈTRES, cria Mélissa.

Enfin, le vaisseau volait au-dessus de Matrok. L'appareil avait de plus en plus de ratés, les moteurs s'éteignaient et se rallumaient. La seule réserve d'actinide active était presque vide et il était évident qu'un arrêt définitif était imminent. Mélissa s'accrochait aux manettes. Tant que l'appareil avançait, moins ils auraient à marcher sur ce territoire froid et enneigé.

À une trentaine de kilomètres de la base, l'appareil émit son dernier bruit ; il rendit l'âme. Elle appuya sur le gros bouton rouge ÉJECTION. La nacelle se propulsa hors du vaisseau et un immense parachute se déploya en amenant les deux passagers en sécurité sur la terre ferme. Le reste de l'engin se posa à un demi-kilomètre d'eux en explosant dès son contact au sol.

– Il nous en a fallu de peu pour que nous y restions, dit Mélissa en se traînant au dehors de la nacelle.

– En effet, ma commandeure, j'ai cru que nos derniers jours étaient arrivés.

Ian remarqua le sang sur le sol glacé. Il s'approcha d'elle et examina ses mains. Elles étaient dans un état beaucoup plus grave qu'il l'avait cru. De larges entailles les sillonnaient et des cloques de brûlures causées par ce minerai étaient présentes.

– Elles sont dans un état terrible, remarqua le capitaine. L'actinide les a brûlées. Vous n'avez pas amélioré leur sort en étant aux commandes. Pourquoi ne m'avez-vous pas laissé conduire le vaisseau ?

– Je n'en sais trop rien. L'habitude d'une chef, je suppose, dit-elle en grimaçant de douleur.

Faute d'eau sous la main, il mit de la neige froide dans chacune d'elles.

– Ça va arrêter les brûlures et vous soulager. Attendez-moi ici !

Le capitaine chercha dans la nacelle des vêtements chauds. Il trouva deux grandes couvertures de laine, des gants, des sacs à dos, des lampes de poche, de la nourriture sèche, des gourdes d'eau, des pansements, du sérum physiologique, une boussole, de la corde, deux couteaux de 20 centimètres, une radio à courte portée et des allumettes. Il prit tout ce qu'il put transporter.

Il fit de son mieux pour nettoyer à l'eau claire les plaies béantes aux mains et à son genou. Il appliqua le sérum, ce qui fit grimacer à nouveau la commandeure, et compléta avec des pansements stérilisés. Elle grelottait. Il la couvrit d'une chaude couverture et l'aida à se relever.

— Après cette chaleur insupportable, nous devons maintenant affronter ce froid, dit Ian. Une marche rapide nous aidera à nous réchauffer.

— Oui, je crois qu'un peu d'exercice me réchauffera.

Elle fit un pas en avant. Son genou blessé ne suivit pas et une douleur fulgurante la projeta au sol. Voyant l'incapacité de sa commandeure, il essaya de rejoindre un des officiers à Matrok à l'aide de la radio à courte portée. Peine perdue, elle n'émit que des grincements.

— Je n'ai pas le choix, il faut que nous marchions, dit Ian.

— Laisse-moi ici, réussit-elle à articuler.

Il savait que dans une situation similaire, elle aurait tout fait pour le sauver. Il ne pouvait la laisser là, si près de la base.

— JAMAIS DE LA VIE ! IL N'A JAMAIS ÉTÉ QUESTION DE VOUS ABANDONNER LÀ-BAS DANS LA GROTTE DU LAC CRISTAL ET ENCORE MOINS ICI ! hurla-t-il surpris de son intensité.

Il se calma et se reprit :

— En ce lieu, vous n'avez aucune chance de survie avec ce froid et des loups dans les parages.

Ian examina les lieux. Il y avait quelques branches au sol assez longues et assez fortes pour construire un traîneau de fortune. Il s'en empara et réussit à en construire un, d'une résistance acceptable pour traîner un adulte. Il installa la blessée qui fut prise de convulsions. Son état s'aggravait.

— Allez, ne vous en faites pas pour moi. Je vais marcher et vous traîner. Je ne vous demanderai qu'une chose.

— Quoi ? murmura-t-elle.

— Continuez de me parler, dit-il en passant la courroie du traîneau le long de son thorax et de ses deux avant-bras.

Malgré sa faiblesse et ses tremblements, elle fit un effort pour converser.

— D'accord ! Décidément, poursuivit-elle, l'extraction… de l'actinide… au Dorado, c'est trop… dangereux. Brr ! J'ai froid. D'après vous, capitaine… est-il possible… d'en trouver à Matrok?

– Oui, commandeure, il existe des endroits inexploités, dit-il en reprenant son souffle, plus au sud… près de l'endroit où ces monstres noirs qu'on appelle les dragons de Korodo… vous savez. Peut-être que la chance nous sourira.

– Je sais. Nous sommes… si près de notre… objectif. Il faudra y envoyer… une délégation. Dès que possible. Encore… quelques centaines de kilos… et nous pourrons quitter ce pays trop étrange… pour moi.

– Ma commandeure, je me propose… comme le chef de cette délégation. Notre mission est presque complétée.

– On verra… des opportunités… et des conditions, dit une Mélissa de plus en plus faible.

Haletant, il s'arrêta pour reprendre son souffle. Il annonça :

– Ma commandeure, j'ai hâte… de retrouver ma famille.

Elle ne répondit pas. Inquiet, il stoppa et cria en s'élançant vers elle :

– MA COMMANDEURE…

– Oui, oui… je suis là. Oui, j'ai hâte… de revoir mon ranch. Frédéric semble… ne plus apprécier la compagnie de Launa... ni celle de son dragnard.

Ian réinstalla les courroies autour de son thorax et continua sa marche.

– Je m'en suis aperçu. Il serait temps... de ramener Launa chez elle et son... Frenzo.

– Elle délaisse... son dragnard.

La commandeure éprouva de plus en plus d'inconfort à maintenir la conversation. Elle luttait contre une forte fièvre et sa mâchoire se contractait.

– Elle semble... apprécier les appareils, articula-t-elle avec difficulté. Plus que son magnifique... animal, parvint-elle à ajouter. Je crois... que tu as raison. Elle doit... retourner... chez elle.

Ce furent ses derniers mots. Ian savait que les prochaines heures étaient importantes. Il réessaya la radio. Il était encore trop loin de la base. Malgré les douleurs qui lui tailladaient les jambes et les bras, il redoubla d'effort. Parfois, le terrain était plutôt escarpé, mais à l'aide de la boussole, il conservait le cap vers l'est. De fortes bourrasques lui mordaient le visage et réduisaient sa visibilité.

Après la blancheur de la neige, ce fut la noirceur d'une nuit sans étoiles. Il ne cessa de marcher luttant contre ce froid sibérien. Chaque pas lui demandait une énergie colossale. Ce n'est qu'au petit matin qu'il put communiquer par radio. La réception annonça qu'on les avait localisés. « Mission accomplie », pensa-t-il. Il s'écrasa, vidé. Après quelques minutes d'inactivité, le bruit continu et rassurant des moteurs d'un vaisseau se fit entendre. La joie le fit bondir sur ses deux pieds. Il cria, bien qu'il sache que ce soit inutile, et alluma sa lampe de poche en l'agitant dans toutes les directions. L'appareil se posa près d'eux. Une fois à l'intérieur, le capitaine s'étonna qu'il ait parcouru une si grande distance. Ils n'étaient qu'à deux kilomètres de la base.

CHAPITRE 3

LES MARAIS

Finissant son repas, Arméranda scrutait les parois rocheuses. L'attaque-surprise de la pie l'avait déstabilisée. Elle ne percevait aucun signe de vie le long de ces montagnes et pourtant, des monstres se tenaient là.

Quelques jours plus tôt, Vatir, le chef des Mjöllnirs, leur avait conseillé de ne pas essayer de survoler les montagnes divisant leur territoire et la Terre des Elfes. Des colosses, des bêtes appelées les Douades, protégeaient ces lieux et attaquaient sans merci tout intrus essayant de traverser sans payer un droit de passage. Avant de partir, Vatir s'était entretenu avec les voyageurs.

— Ce sont des êtres à fourrures grises se confondant aux pans rocheux. Ils sont à demi humains et à demi animaux. N'essayez pas de fuir. À quatre pattes, ils courent à une vitesse vertigineuse et ils vous rattraperont en moins de deux secondes. N'essayez pas de voler au-dessus de leur territoire. Ils sont équipés d'arbalètes et ont une vue des plus perçantes.

— Et où sont-ils nichés ? avait démandé Picou.

— C'est là le problème, avait répondu Vatir.

— Quel problème ? avait demandé Andrick.

— Le passage s'appelle le mont Olympe. Bien que ce soit un massif imposant, il ne se distingue pas des autres massifs. Alors, vous devrez le trouver.

— Et qu'est-ce qu'il y a de si effrayant à trouver ce mont ? avait poursuivit le jeune magicien.

— Pendant que vous le chercherez, ils vous observeront. Prenez soin de ne jamais montrer votre richesse lors de vos déplacements. Dès qu'ils auront fini de vous scruter, ils se dévoileront. Vous serez à même de constater que leur fourrure était un très bon camouflage. Une fois auprès d'eux, vous devrez vous attendre à ce qu'ils vous demandent leur dû. Ne montrez jamais toute votre richesse ! avait-il répété. À la vue d'une seule pièce d'or ou d'un diamant, ils s'en saisiront. Répondez sagement à toutes leurs questions et vous aurez la vie sauve.

— La vie sauve ? avait demandé Inféra d'un ton nerveux.

— Oui, ils n'hésiteront pas à vous tuer si vous répondez inadéquatement aux questions. Tout ce qu'ils voudront savoir, c'est votre destination et la raison de votre expédition. En retour, ils demanderont une redevance pour vous laisser passer. Pour cette redevance, il faudra être généreux et les payer en pièces d'or et en diamants. Mais ne soyez pas trop généreux et n'oubliez pas d'en garder. Les Elfes sont aussi très friands de pierres et de pièces précieuses.

Vatir avait dit tout ce qu'il savait. Il n'avait plus rien à ajouter. La troupe avait quitté le joli village peu enthousiaste et redoutait la rencontre avec ces brutes cupides et probablement d'intelligence limitée.

✣ ✣ ✣

– Avez-vous vu un quelconque passage ? demanda Picou en raclant le fond de son assiette avec un morceau de pain.

– Aucun, répondit Andrick. Les Douades doivent aimer les surprises. Nous sommes si près d'eux et nous ne les voyons nulle part. Nous avons vu des marais plus au sud, le passage doit être par là.

– Il nous faudra marcher et être discrets, recommanda Arméranda.

Inféra, qui avait fini son repas depuis quelques minutes, jouait avec Coquette, Filou et Aura, plus pour tuer son anxiété que par plaisir. Les petits adoraient courir après des brindilles et des branchages que la jeune dragon-fée faisait trembloter devant eux. Elle avait entendu la conversation.

– En tout cas, il faudra fermer son clapet à celui-ci, dit-elle en désignant Filou, un dragnardeau dans les tons de roux et de brun qui hennissait à tue-tête.

Il battait des ailes, mais ses efforts étaient infructueux. À chaque tentative, il s'élevait de quelques centimètres pour chuter brutalement. Ses deux sœurs volaient adroitement depuis hier. Trop heureuses de leurs nouvelles habiletés, elles piaillaient comme des oiseaux. De retour au sol, elles aimaient courir, soit après leur queue, soit pour s'attaquer et se mordiller entre elles. Malgré que ce soit charmant, ces dragnardeaux nuisaient à un déplacement se voulant discret.

– Orphée et Frivole pourront peut-être leur faire comprendre la gravité de la situation, dit Nina en observant les péripéties du jeune téméraire.

Voulant à tout prix réussir la même prouesse que celle de ses sœurs, il réessaya. Après quelques autres battements d'ailes, il réussit enfin à s'élever de deux mètres et à voler. À bout de souffle, il s'écrasa au sol après une course d'une vingtaine de mètres. Il lâcha des cris hystériques de détresse. Orphée se leva pour le remettre sur pied et lui lécha le visage. Il parut rassuré et cessa ses lamentations. Nina ne put s'empêcher de le prendre dans ses bras. Il était trop mignon et elle embrassa à plusieurs reprises sa belle fourrure toute douce.

– Ah, qu'il est lourd ! C'est pour ça qu'il ne peut voler. T'es trop gros, fit-elle en frottant son nez contre son museau humide. C'est fou comment il a pris du poids. Je crains ne pouvoir te tenir dans mes bras un long moment, mon coquin de Filou.

– En plus, ces jeunes ne se déplacent pas très vite, compléta la dragon-fée.

– Ce n'est pas un problème. Comme nous devons marcher, nous les installerons sur chacun des dragnards, annonça Arméranda.

– C'est vrai ! dit Picou et moi, je m'installerai sur Horus.

Un brin de jalousie parcourut le visage d'Inféra.

– Quel paresseux, tu fais ! s'exclama Inféra.

Picou rit.

– Tu pourrais te joindre à moi.

– C'est vrai, dit Andrick. Nous sommes plus habitués à marcher que toi.

Inféra demeura confuse. D'un côté, elle trouvait cette invitation très appropriée, mais d'un autre côté, elle venait de traiter Picou de paresseux. Elle ne voulait pas paraître aussi fainéante que son compagnon et être une surcharge comme les dragnardeaux.

– Non, je suis capable de marcher, se convainquit-elle.

Les jumeaux eurent un sourire de malice et se dirent qu'elle ne tiendrait pas le coup très longtemps.

Un vent froid soufflait et quelques petits flocons de neige commencèrent à tomber. Ils avaient revêtu leur chaud manteau de fourrure. Andrick releva sa capuche. Ils marchèrent de longues heures le long des montagnes vers le sud, vers les marais. Ils parcoururent un sol rocailleux rempli d'embûches, d'arbres morts et de couleuvres grouillantes surprises par le changement radical de température. À quelques reprises, Inféra cria en les voyant ramper près d'elle. Les jumeaux furent surpris de constater qu'elle continuait de se mouvoir à pied sans émettre une seule plainte à part les hurlements de peur envers des reptiles inoffensifs.

— Les hivers sont plus doux que par chez nous, commenta Nina. Les nôtres doivent être ensevelis sous au moins un mètre de neige.

— Je crois que oui, assura Andrick. Je n'aime pas cette température entre les deux, ni été, ni hiver. Dire qu'hier, c'était l'été.

— Il en est de même pour moi, précisa Arméranda. En montagnes, neuf mois sur douze, les hautes terres sont recouvertes de neige et de glace. Bien habillés, nous ne craignons pas les froids mordants.

Inféra regrettait presque son repaire, sa bulle de verre, sa bulle magique. Elle avait vécu 150 ans sans jamais la quitter. La demeure était maintenue à une température parfaite. Quelquefois, elle se risquait à se promener aux alentours, mais elle n'avait jamais fait de grandes expéditions. Son compagnon de longue date n'appréciait pas cet air glacial. Il avait fui la selle d'Horus et s'était réfugié dans une des poches du manteau de la dragon-fée. Confortablement installé, il se laissait balancer au rythme de ses pas.

En arrivant près des marécages, ils furent inquiétés par des piaillements agressifs. Ils en recherchèrent la provenance. À leur stupéfaction, ces cris provenaient de petits êtres habillés de peaux et de bandages de tissus. Cette peuplade hostile vivait dans les marais. Elle se composait d'une trentaine d'individus mesurant entre 1 mètre et 1,20 mètre. Petits, peaux bronzées par le soleil, chevelures allant d'un blond châtain à roux, ils les menaçaient avec des lances ridiculement petites et des boucliers composés de branchages et de feuillages. Andrick rit en voyant leur attirail, ce qui provoqua une montée d'animosité. Ils émirent un cri de ralliement et pointèrent leur arme vers eux. Ils partirent à courir en leur direction.

— N'ayez pas peur ! dit Andrick pour les calmer et stopper leur course.

Ils s'arrêtèrent à 10 mètres du groupe qui, visiblement, ne se sentait pas menacé par eux. Au lieu de fuir, les chevaliers du Dragon rouge restèrent là et sourirent.

— Sans vous offenser, par votre petite taille, j'en déduis que vous n'êtes pas ceux que l'on cherche, poursuivit le magicien en essayant de garder son sérieux.

Ces paroles les firent râler de rage. Ils levèrent leur bras en effectuant un mouvement de va-et-vient de leur lance et en grondant pour démontrer encore plus d'agressivité. Andrick dégaina son épée et la laissa tomber en avant de lui. Nina fit de même. Décidément, la tactique guerrière de ce peuple ne les effrayait pas.

Les apparences étaient trompeuses. Ce peuple était de nature joyeuse plus que belliqueuse. Ils arrêtèrent leur stratagème d'attaque et se détendirent. Une femme releva sa lance et se rapprocha du jumeau. Les autres firent de même. Malgré leur allure massive, ils se dandinèrent allégrement plus qu'ils ne marchèrent dans cette boue en raison de leurs pieds palmés. Les femmes se montrèrent très présentes et les hommes, plus effacés.

– Je m'appelle Doralina, dit la Naine la plus élancée et la plus jolie.

– Je me présente, Zylra, dit l'aînée du groupe, une femme aux traits burinés par le temps. Nous recevons peu de visiteurs. Excusez-nous de notre méfiance. Toutefois, nous sommes heureux de faire votre connaissance.

– Il en est de même pour nous, acquiesça-t-il par un grand mouvement de la tête. Je me présente, Andrick, chevalier du Dragon rouge et voici mes compagnes de voyage, Nina, Inféra et Arméranda.

Voyant la méfiance tombée, ils ramassèrent leur épée.

– Nous cherchons le passage vers la Terre des Elfes, le mont Olympe, informa Arméranda.

– Oh! il vous faudra un peu de patience, dit un jeune Nain en se détachant du groupe. Ils vous ont repérés depuis belle lurette et ils vous observent. Mon nom est Oldor.

Un pli soucieux traversa le front d'Arméranda. Se pouvait-il que ses sens se soient évaporés? Un groupe si grand, elle aurait dû les détecter des kilomètres à la ronde.

Au Dorado, son esprit était alerte et elle n'éprouvait aucune difficulté à détecter n'importe quel animal ou personne sur une grande étendue, tandis qu'ici, elle ne ressentait aucune présence quelle qu'elle soit. Elle se surprenait à découvrir à quelques pas d'elle des gens vivants en toute liberté et sans se cacher. De toute évidence, elle n'avait pas la capacité de localiser les Douades et encore moins de deviner l'emplacement du passage secret. Elle s'attrista de constater l'anéantissement de ses pouvoirs de repérage. Elle mit sa main sur ses multiples colliers en pierres de turquoise, dont un se terminait par un médaillon en acier sculpté à l'effigie de la reine Sophia, une cygne-fée, la gardienne du lac de l'eau guérisseuse. Elle croyait au rôle protecteur de ces pierres, mais ici, elles s'avéraient inutiles. Elles étaient comme du vent. Lors d'un rite de ses ancêtres, un actinide brillant et aux reflets bleutés avait été inséré à l'intérieur du médaillon de son collier, qui devait de surcroît doubler les effets de la turquoise. Peut-être que la pierre avait perdu son éclat et était devenue sans valeur ou avait perdu momentanément son efficacité? Peut-être avait-elle besoin d'une attention particulière pour raviver son action?

– Pour vous, jolie demoiselle, offrit un des Nains à la chevelure rousse et à la barbe fournie. Un gâteau au miel que j'ai fait.

Il s'inclina. Ce peuple cueillait des tubercules et des racines qui poussaient dans la terre et les mangeait de préférence crus. Il leur arrivait de les cuire dans de l'eau ou dans un lait d'amandes ou de noisettes.

– Je me présente, Drong, poursuivit-il.

Arméranda sortit de sa torpeur et se pencha pour le prendre. Le gâteau fondit dans sa bouche. Il était d'une légèreté angélique.

– Un régal, dit-elle, sire Drong.

En entendant le mot sire, il devint aussi rouge que ses cheveux flamboyants. N'est-ce pas un titre honorifique ?

– C'est un gâteau fait à partir d'une farine de fleurs de sureau et de tubercules d'hémérocalles mélangée avec du miel, et d'huile fine de noisettes, dit-il d'une voix empreinte d'émotions.

– C'est d'une finesse incroyable.

Il rougit davantage et se dépêcha de disparaître dans la flore environnante. Le groupe partit à rire.

– Il est si timide, notre Drong. Pardonnez-lui, indiqua Zylra. C'est un cuisinier inventif et hors pair. Nous en sommes très heureux.

Inféra regarda la scène, envieuse du succès de sa compagne. Elle qui avait fraternisé et partagé son sang avant la traversée dans le passage reliant Dorado et la Terre des Quatre Peuples – qui était de toute évidence Cinq Peuples –, toute cette belle fraternité, c'était bien loin. Son envie faisait de plus en plus place à la jalousie.

– La nuit tombe et, ici, des fantômes rôdent aux alentours, avertit Doralina.

– Des fantômes ? demanda Nina.

– Oui, ce sont des âmes qui errent dans les parages. Ils ne sont pas méchants, mais ils sont effrayants à voir, attesta Rolon, un homme aux cheveux blancs qui se tenait derrière Zylra.

– D'où viennent-ils? questionna Picou qui avait sorti sa tête du manteau de sa compagne.

Il y eut un mouvement de peur. Ils reculèrent en entendant cette voix grave sortir d'un rat blanc. Inféra le prit dans ses mains et le caressa, indiquant ainsi son caractère inoffensif.

– Pardon de vous effrayer, c'est mon compagnon, Picou, un magicien réduit à vivre en rat.

Rassuré, le petit peuple se détendit et Rolon s'avança de quelques pas craintifs avant de poursuivre :

– Les fantômes sont des êtres tués par les Douades. Pour quelle raison? On peut présumer que c'est parce qu'ils n'avaient pas assez de richesses sur eux pour passer ou peut-être... parce qu'ils ont cru qu'ils ne leur donnaient pas tout leur avoir.

La noirceur s'intensifia. Les nains, si paisibles jusqu'à ce moment-là, commencèrent à s'agiter et à sautiller.

– Il nous faut partir, dit Doralina qui semblait être la chef de la troupe, malgré qu'elle soit une des plus jeunes.

– Bien qu'ils ne soient pas méchants, renchérit Zylra, nous n'aimons pas leurs présences sinistres. Nous nous terrons dans nos abris faits de bois de noisettes qui a la propriété d'éloigner les fantômes.

Une jeune Naine à la chevelure caramel et de taille très modeste, qui n'avait pas encore prononcé un seul mot, s'approcha d'Andrick et lui offrit des bouquets d'herbes séchées.

– Je m'appelle Luna. Voici de la sauge. Si les présences vous effraient trop, faites-vous un feu et, au plus fort des présences évanescentes, jetez un bouquet de sauge. Il les éloignera pour un instant. Sachez que ces esprits peuvent vous révéler des informations fondamentales sur l'Entrée secrète du mont Olympe.

– Et que savez-vous de l'Entrée secrète ? demanda Arméranda.

– Que c'est un passage souterrain, chaud et ténébreux contrôlé par les Douades, un couloir menant à la Terre des Elfes.

– Ce soir, c'est la zimni slunovrat. C'est la nuit la plus longue et les esprits sont particulièrement actifs en cette soirée, dit le jeune Oldor. C'est peut-être une bonne chose. Ils seront parmi vous plus longtemps.

— Je ne crois pas que ce soit positif, commenta Inféra. Je crains qu'ils ne m'apeurent plus qu'ils ne m'informent.

Drong, timide et surtout curieux, était revenu vers le groupe. Il s'approcha de la dragon-fée et lui tendit une jolie assiette en bois laqué et sculpté de fleurs. Elle était remplie de petits gâteaux décorés d'un glaçage rose.

— Voici, belle dame, des douceurs aux roses. Votre teint et votre élégance m'ont inspiré ce dessert que vous pourrez partager avec vos amis.

Inféra n'en revenait pas. Il avait préparé une assiettée de petits gâteaux en son honneur. Elle en prit un et le porta à sa bouche. Elle le savoura lentement. Quelques larmes coulèrent le long de sa joue.

— C'est le cadeau le plus extraordinaire que je n'aie jamais eu.

Elle se pencha pour l'embrasser sur le front. Drong faillit tomber à la renverse. Il avait reçu des compliments de ces belles dames et l'une d'elles l'avait embrassé. Il était aux anges et il s'éloigna en s'inclinant plusieurs fois vers ces femmes élégantes.

– Comme ma chère amie Zylra l'a dit, Drong est un cuisinier hors pair, souligna Doralina. Il sait nous régaler en utilisant de simples ingrédients. En ce mois de décembre, les roses sont fanées depuis très longtemps, mais grâce à ses connaissances, il recueille leur nectar à l'apogée de leur floraison et le conserve à l'ombre et au frais. Durant les longs mois d'hiver, il nous surprend par des plats savoureux goûtant le soleil et les chauds mois d'été. Belle dame, ces douceurs sauront vous réconforter au plus fort de vos peurs. Je vous offre du houblon. Faites-en un thé. Son goût est amer, mais il vous apaisera et vous ressentirez son bienfait.

Les chevaliers du Dragon rouge acceptèrent ces présents avec respect.

– Bon, il est tard. Je sens que les fantômes seront nombreux ce soir, fit Zylra en reniflant. Bien qu'ils ne soient pas méchants, comme déjà dit, nous n'aimons pas leur présence. Désolée, nous devons vous quitter. Prenez soin de vous.

– Nous vous remercions de vos précieux conseils. Allez ! Nous ne vous retenons pas plus longtemps. Merci pour tous vos cadeaux. Prenez soin de vous, affirma Andrick, et si jamais vous aviez besoin de quoi que ce soit, je serais très reconnaissant de vous venir en aide.

Le petit peuple s'inclina et les chevaliers du Dragon rouge firent de même.

CHAPITRE 4

UNE NUIT BLANCHE

Inféra tremblotait de froid, mais surtout à cause de la crainte de la venue de ces créatures éthérées. Dans son antre à Dorado, elle n'avait jamais entendu parler de morts errants. Elle s'assit près d'Andrick, entourée d'une chaude couverture. Ce dernier veillait à ce que le feu soit bien nourri et il prépara un thé de houblon, histoire de ressentir son bienfait. Les dragnards s'étaient rapprochés du feu et les jeunes dormaient entre les pattes de leurs parents.

Les bouquets de sauge reposaient au sol tout près d'Andrick. Nina et Arméranda prenaient cette histoire de fantômes à la légère. Elles plaisantaient. Voyant la figure tourmentée de sa compagne, Picou se plaça à ses pieds, paré à intervenir si jamais elle perdait le contrôle d'elle-même. Ce matin, il s'en était fallu de peu pour qu'elle se métamorphose en dragon.

Tous prirent du thé. Par la suite, Inféra distribua les petits gâteaux. Picou, qui avait déjà le sommeil lourd, n'en prit pas. Chacun les trouva savoureux.

Un vent glacial se leva. Quelques coups de rafales produisirent de sinistres sifflements, firent craquer certains arbres et le feu manqua de s'éteindre. De lourds nuages cachèrent la voûte étoilée et une obscurité dense à couper au couteau régna. Le vent n'avait pas perdu de son intensité et menaçait de les plonger dans des ténèbres oppressantes.

– Il faut protéger le feu, constata Andrick.

– Vite, allons chercher des branchages pour monter un mur de protection, conseilla Arméranda.

Sans s'en rendre compte, ils se retrouvaient amortis par le thé et les gâteaux. Avec difficulté, ils parvinrent à se relever. Une forte bourrasque les fit tomber au sol et éteignit le feu. Malgré l'obscurcissement, ils virent le sable se soulever et tourbillonner devant eux. Le sol se mit à trembler et un bruit ressemblant à un immense troupeau de buffles courant dans un tunnel se fit entendre. Les dragnards se mirent à hennir de frayeur. Féerie et Horus essayèrent de dissuader le groupe de rester là en leur mordillant les épaules. Ils firent de leur mieux pour leur faire comprendre de partir. Présageant des présences qu'ils ne pouvaient combattre ou chasser, leur instinct de survie leur dictait de fuir au lieu de rester accroupis autour d'un feu éteint. À regret, ils s'éloignèrent en traînant leurs progénitures.

Le grondement s'intensifia. Une faille s'ouvrit sur une longueur d'une dizaine de mètres et d'une profondeur incommensurable. Une lumière blanche en émergea. Une vingtaine de spectres sortirent de cette crevasse. Nos voyageurs ne ressentirent aucune frayeur à leur vue malgré que leur corps soient hideux, déformé et montrant de larges entailles. Le thé créa une somnolence bienfaisante et une ouverture de l'esprit. L'un d'eux s'approcha d'Andrick. Une large entaille au cou fit en sorte que sa tête pendouillait sur son épaule.

– Je suis Émo, murmura-t-il.

Sa voix à peine audible et compréhensible était comme une bise qui se lève. Andrick fut le premier à se relever et à se présenter. Le spectre continua :

– Je vois que les habitants des marais vous ont offert de la nourriture et un breuvage me permettant de me présenter à vous sans vous effrayer. Je ne suis pas là, en effet, pour vous faire peur, mais bien pour vous aviser.

– Émo, nous vous remercions de vos bonnes intentions, dit Andrick.

Inféra ingéra son troisième gâteau et commença à somnoler.

– Il y a des règles à suivre, ajouta-t-il.

Les autres esprits se mirent en ligne et s'introduisirent un à un.

– Nous avons accumulé toutes les bévues possibles, dit une ombre féminine qui supportait sa tête sous son bras. J'ai été décapitée et je vous assure que les Douades sont rapides et efficaces. Méfiez-vous d'eux ! De prime abord, ils sont intimidants par leur taille et ensuite, ils savent se rendre sympathiques et à la fin, ils sont tellement cupides que vous serez dilapidés en un rien de temps de tous vos biens. Si vous résistez, vous voyez ici un des traitements infligés.

Les spectres blanchâtres défilèrent à nouveau devant eux. La troupe des chevaliers du Dragon rouge comprit que ce n'était pas de la rigolade. Le plus grand, le plus élancé et d'une grande beauté, s'arrêta devant eux. Par la grande ouverture du thorax, tous notèrent l'absence de son cœur. La pointe de ses oreilles émergeait de sa chevelure longue et abondante.

– Ici, c'est notre sanctuaire. Vous êtes présentement au bon endroit, vous êtes à l'Entrée secrète du mont Olympe. Depuis ce matin, ils vous observent, dit-il. Et si vous ne faites aucune erreur, vous accéderez à la Terre des Elfes. Cette terre où je suis né et à laquelle je n'ai plus accès.

Arméranda frémit. Elle comprit qu'elle avait perdu ses pouvoirs si chers à elle. Elle n'était plus qu'une vulgaire humaine. L'esprit de ses ancêtres l'avait quittée. La sauge qu'avait remise la jeune Naine était peut-être la solution. Aux premières heures du matin, elle allait faire le rite des Anciens qu'elle connaissait si bien, la recentralisation.

— Je me nomme Galdor, poursuivit-il, et je suis le frère d'Adora. Le goût de l'aventure et des voyages m'a coûté ma vie. Ils sont sans pitié et m'ont arraché le cœur pour le dévorer sans aucune hésitation.

En entendant le prénom d'Adora, Inféra sortit de son demi-sommeil. Elle fut secouée par cette vision éthérée. Le ton calme de l'esprit la rassura et elle se risqua à poser la question qui lui brûlait les lèvres.

— Adora, dit-elle, comme celle qui est porteuse d'un dragon?

— Oui, comme celle qui est porteuse d'un dragon. Ma sœur est la plus respectée de notre dynastie par ses sages conseils et ses bonnes actions. Elle m'avait prévenu de ne pas m'aventurer en terrain inconnu au risque de ne pas revenir. Malheureusement, elle avait vu juste.

— Moi aussi, je suis porteuse d'un dragon et j'aimerais bien connaître votre sœur.

— Vous portez un dragon vert comme Adora?

— Non, pas vert, mais un rouge. D'après les commentaires d'un Erdluitle, le mien serait plus fringant que celui de votre sœur.

Galdor rit et les autres spectres l'imitèrent. C'était un rire doux et mélancolique.

– Puisque vous dites que les Douades nous observent, dit Andrick, ne craignez-vous pas qu'ils nous écoutent ?

– De fait, reprit Émo, nous avons découvert qu'ils ne nous voient pas, ni ne nous entendent. Ce serait la même chose pour vous, si vous n'aviez pas mangé de ces gâteaux au nectar de roses. Ce nectar a le pouvoir d'ouvrir vos canalisations et de voir au-delà du réel.

– Voyez votre compagnon qui dort, poursuivit-il en allongeant vers Picou le seul bras encore attaché à son épaule. Il n'entend rien de ce que nous disons et ne nous voit pas. Tout ce que les Douades peuvent remarquer, c'est que vous parlez entre vous.

– Et pourquoi ne suis-je pas effrayée ? demanda Inféra.

– Encore une fois, les Nains connaissent les pouvoirs du houblon. Ce thé a une saveur amère et une action relaxante, répondit Galdor, un peu trop pour votre compagnon. Ce gâteau au miel a facilité son ingestion. Ce n'est pas un secret que le sucré masque l'amertume. Maintenant, écoutez-moi bien, poursuivit l'Elfe. Il faudra donner tout ce qui est précieux sur vous, ne dissimulez rien. Comme dans mes terres, nous sommes aussi friands d'or et de pierres précieuses, il faudra en conserver une certaine quantité pour plaire à la royauté. Waldo saura vous conseiller.

– Qui est Waldo ? demanda Nina qui avait été jusqu'alors très silencieuse.

– Le compagnon de ma sœur, un puissant seigneur. Nous, les Elfes, aimons le beau et nous aimons par-dessus tout étaler notre richesse. Si vous voulez gagner la sympathie du roi, quelques diamants et pièces d'or feront l'affaire.

– Que pouvons-nous faire pour déjouer les Douades ? demanda Arméranda. Puisque vous dites qu'il faut leur donner tout ce que nous avons de précieux.

– Les Douades détestent l'odeur du thuya et de la lavande. N'hésitez pas à vous en mettre sur vous et dans vos bagages et ne portez sur vous que le minimum. Ils se feront un plaisir de vous laisser passer pour ne plus sentir ces odeurs nauséabondes.

– Comment pouvons-nous vous remercier ? demanda Andrick.

— Dites à ma sœur que j'ai été heureux de parcourir les nombreuses contrées visitées. J'avais tant d'histoires et de souvenirs à lui conter ainsi qu'à mes chers parents. Dites-lui de ne plus m'attendre et que je l'aime.

— Nous le ferons, dit Nina avec émotion.

Le soleil commençait à poindre à l'horizon. Les spectres disparurent progressivement à mesure que les rayons se répandaient et la faille se referma. La troupe épuisée par cette nuit sans sommeil s'endormit.

Picou fut le premier à se réveiller. Le temps s'était adouci et le mince voile de neige de la veille sur ces terres avait fondu. D'une main de maître, il fit tourbillonner sa baguette magique et ordonna que la couverture de laine recouvrant Andrick se déplace à côté de lui. Puis, il trépigna sur lui pour qu'il se lève.

— Qu'avez-vous à dormir comme des loirs ? lui demanda-t-il. Le soleil est déjà très haut, bande de fainéants !

Andrick brandit un bras en avant de lui à la recherche de sa couverture. Il roula sur le dos. Par inadvertance, il fit tomber le réveilleur sur le côté. Le jumeau s'étira et Picou reçut une claque directement sur la mâchoire. Andrick s'y prit par deux fois avant de se réveiller et de se dresser debout. À chacune des fois, il chancela et se rassit. Sachant qu'il avait reçu un traitement mérité, Picou se dressa sur ses pattes et se frotta la mâchoire. Il ne se plaignit pas de cette gifle involontaire.

— Dire que les Nains nous avaient avisés que la nuit serait longue, informa le rat. Je dois dire que je n'ai jamais aussi bien dormi avec cet air frais.

— Peut-être pour toi, mais nous, on n'a pas fermé l'œil.

— Pourquoi donc ?

— Les fantômes.

— Quels fantômes ?

— Tu dormais lors de leur visite. Il en était peut-être mieux ainsi, fit Arméranda en s'étirant.

Elle se releva et tituba.

— Aïe ! J'ai l'impression d'avoir trop bu et pourtant, nous n'avons pris que du thé et des gâteaux.

– Ah ! Ces gâteaux, je m'en méfiais, dit Picou. Je craignais que ces douceurs nous embrouillent le cerveau.

– Il faut dire que les rats n'attirent pas la sympathie de tous, se hasarda Nina qui se mit sur son séant. Les douceurs, c'était pour nous.

– Ne me rappelle pas cette damnation, fit-il en reniflant et en chialant. Tout comme ma compagne qui sera libérée du dragon, je redeviendrai le magicien que j'étais avant cette transformation, répéta-t-il. Et vous verrez, JE SUIS UN GRAND MAGICIEN !

– Aïe ! J'ai un de ces maux de tête. Ne crie pas ! Ces damnés gâteaux m'ont donné tout un mal de tête, dit Nina. Beaucoup trop sucré.

– BELLE EXCUSE ! cria Picou au lieu de sympathiser.

– Oui, je sais ! Je m'en veux… Je suis incorrigible. Je vous promets de ne plus recommencer. Me pardonnez-vous ? implora Nina en le vouvoyant poliment.

– Tu es pardonnée, répondit-il sèchement en se dressant sur ses pattes et en croisant ses bras. Cependant, IL FAUDRA

ARRÊTER DE ME LE RAPPELER UNE BONNE FOIS POUR TOUTES!

Andrick pouffa de rire. Picou lui jeta un regard méchant signifiant : « cette recommandation est aussi valable pour toi. » Le jumeau prit à la légère son attitude accusatrice. C'est en sifflant et en l'ignorant que le jeune magicien repartit le feu. Dans un vieux chaudron, il versa de l'eau, du gruau et quelques canneberges séchées. Arméranda s'accroupit près de lui et devint songeuse.

– D'accord! répondit Nina à Picou qui la fixait avec haine. Je te le promets.

Elle prit un bol et se versa une grosse louche de ce porridge. Elle le renifla et témoigna sa satisfaction en émettant un long hummmm. Andrick lui fit un clin d'œil de remerciement. Elle remarqua l'esprit absent de la jeune cavalière assise à côté de son frère :

– Hé toi! Arméranda, tu es si sage et si discrète depuis ton réveil. Qu'est-ce qui ne va pas?

– J'ai perdu mon flair, annonça-t-elle d'un ton lugubre.

Ils se dévisagèrent en s'interrogeant sur la signification de cette phrase énigmatique.

— Oui, le flair, poursuivit-elle devant ce silence et ces regards interrogateurs. Je pouvais sentir des présences à des kilomètres à la ronde et lire dans les eaux des rivières et sur le sol le passage d'une personne ou d'un animal. Depuis quelque temps, je ne ressens plus rien, je ne vois plus rien. Je suis devenue aveugle, sourde et insensible aux signes, aux odeurs et aux bruits qui m'enveloppent.

— Qu'est-ce qu'on peut bien y faire ? demanda Inféra attristée par la perte de cette habileté.

— Il existe un rite, reprit-elle. Il consiste à purifier mon esprit. La sauge remise par cette jeune Naine dont j'ignore le nom est une herbe puissante.

— Luna, l'interrompit Andrick.

— Ah oui ! Luna. Elle nous a remis une herbe d'une importance capitale par chez nous. Sa fumée a le pouvoir d'assainir les pensées et de chasser les éléments parasites. Toutefois, je ne peux le faire toute seule. Les êtres m'entourant et m'aimant doivent former un cercle. Même les animaux comme les dragnards et Horus peuvent se joindre à nous. Plus il y a de la vie, mieux c'est. Lorsque le soleil sera au zénith, ce sera un temps favorable pour purifier et anéantir les éléments indésirables qui obscurcissent mon esprit.

AAAHH ! fit en chœur le reste de la troupe, heureux qu'il y ait une solution à ce problème.

— Mais où sont les dragnards ? demanda Picou.

— Euh… de mémoire, se souvint Nina, ils ont eu peur et ont déguerpi.

Tous partirent à leur recherche. Vingt minutes plus tard, ils entendirent au loin Nina crier :

— HÉ, ILS SONT ICI !

Andrick fut le premier à rejoindre sa sœur. Ils s'étaient regroupés dans une cavité rocheuse à un demi-kilomètre plus loin. Ils les ramenèrent au campement.

— Je crois que les spectres, ce n'est pas leur tasse de thé, badina Andrick trop heureux de caresser la douce fourrure de Frivole et des dragnardeaux.

Après un déjeuner frugal, ils se levèrent. Les jumeaux alimentèrent le feu en y jetant de solides branches de bois franc ainsi que des cônes et des aiguilles de pin, pendant qu'Inféra et Arméranda organisaient la place et construisaient une petite table composée d'une pierre plate reposant sur deux roches près du feu. Elles empilèrent les bouquets de sauge sur cet autel improvisé. Picou fit de son mieux pour se rendre utile. Compte tenu de sa petite taille, il transporta quelques cocottes. Pour souligner l'importance de ce rituel, elle mit une robe blanche, celle-là même qu'elle portait lors d'un séjour non voulu dans une crypte, celle que les Mjöllnirs lui avaient donnée. Inféra demanda sa permission pour faire de même. Elle acquiesça. Les jumeaux admirèrent ces deux jeunes femmes, deux déesses blanches. La finesse du tissu et sa blancheur lumineuse firent ressortir l'éclat des cheveux roux et bouclés de la dragon-fée.

Inféra nota les yeux passionnés et ardents que lui jetait Andrick, à elle et non à Arméranda. Sa jalousie s'estompa. Elle mit en veilleuse les fois où sa tendresse allait vers la jolie cavalière. Elle savourait ce temps béni pour renouer avec sa compagne, sa sœur de sang depuis la traversée du Vouvret.

Elle ferma les yeux et se sentit utile de participer à un rituel permettant à Arméranda de retrouver sa clairvoyance.

Arméranda attendit que le feu se calme et que de belles braises bien chaudes grisonnent. Lorsque le bois brûlé perdit de sa rougeur et qu'une couche de cendres le recouvrit partiellement, elle indiqua que c'était le temps de commencer la cérémonie.

Les animaux furent dociles et s'accroupirent devant ces tisons ardents. Puis, ce fut au tour des chevaliers de s'asseoir en tailleur, la paume des mains tournée vers le haut. Comme si toute la nature voulait communiquer avec Arméranda, les oiseaux cessèrent de chanter et le vent disparut. On n'entendait que l'eau d'une rivière s'écouler non loin de là. Inféra frissonna de bonheur. Ce calme lui rappela son antre. L'instigatrice de ce rituel jeta un premier bouquet.

— Que la force de mes ancêtres soit avec moi. La force des Anciens qui m'habite et qui voit à ma survie. J'en appelle à mon sens de la vue pour qu'il soit plus aiguisé que celui de l'aigle.

Elle se recueillit et, lorsque la fumée commença à se dissiper, elle lança un second bouquet de sauge.

— Que la force de mes ancêtres soit avec moi. La force des Anciens qui m'habite et qui voit à ma survie. J'en appelle à mon sens de l'ouïe pour qu'il soit plus développé que celui de la chauve-souris.

Elle refit la même pratique. Elle offrit au feu un troisième bouquet.

— Que la force de mes ancêtres soit avec moi. La force des Anciens qui m'habite et qui voit à ma survie. J'en appelle à mon sens de l'odorat pour qu'il soit plus performant que celui des papillons qui distinguent chacun des parfums environnants et poursuivent leur route sans se perdre.

Lorsque la fumée se dispersa, elle jeta un quatrième bouquet.

— Que la force de mes ancêtres soit avec moi. La force des Anciens qui m'habite et qui voit à ma survie. J'en appelle à mon sens du goût pour qu'il me permette de discerner les éléments toxiques et dangereux et me garde de m'en nourrir.

Puis, ce fut le lancer du cinquième bouquet qui s'enflamma au contact de la braise.

— Que la force de mes ancêtres soit avec moi. La force des Anciens qui m'habite et qui voit à ma survie. J'en appelle à mon sens du toucher pour qu'il me permette de sentir le moindre vent, le moindre mouvement du sol et le moindre tressaillement d'une feuille dans un arbre m'indiquant une présence bienfaisante ou maléfique.

La nature avait retenu son souffle et lorsque les dernières particules du nuage de cendres du cinquième bouquet se propagèrent dans l'air, les oiseaux recommencèrent à chanter, le vent à souffler et les arbres à frémir. Arméranda se leva et tint ses bras levés au-dessus de la tête un long moment. Lorsqu'une chaleur pénétra dans son médaillon et se répandit dans son corps, elle les rabaissa. Elle arbora un large sourire.

— Je suis maintenant confiante, dit-elle. Mon esprit s'est lié au cosmos et je ressens mes sens plus d'appoint que jamais.

— Nous sommes tous avec toi, affirma Andrick en bondissant sur ses deux pieds, heureux qu'elle ait retrouvé sa confiance.

Elle fit un tour sur elle-même à 180 degrés et elle discerna la présence d'un peu moins d'une vingtaine de gaillards poilus qui se tenaient à un demi-kilomètre, à mi-hauteur d'un versant d'un massif rocailleux.

— Ils sont là, dit-elle en se retournant. Je les vois.

Andrick fixa les lieux et à force d'examiner, il les perçut. Enfin, il le crut.

CHAPITRE 5

L'ENTRÉE SECRÈTE

Ils suivirent les instructions de Galdor. Beaucoup de thuyas se trouvaient près d'eux et ils cisaillèrent de nombreuses branches. Nina dénicha quelques plants de lavande. Ils en déposèrent partout, dans les bagages et sur eux. Ils prirent le soin de décider la quantité de pièces et de diamants qu'ils seraient prêts à se départir et les placèrent dans la bourse accrochée à leur ceinture. Le reste, ils les enfouirent au fond des sacoches et étendirent des ramilles de thuya, de lavande et, pour finir, une pile de vêtements.

– Un bon déjeuner avant de les rejoindre, suggéra Andrick. Je crains que la journée ne soit longue.

Chacun s'y mit et chercha des légumes racines à cuire et des herbes pas trop détériorées par le froid. Nina rassembla les ingrédients et, avec le peu qu'elle avait sous la main, fit un ragoût savoureux qu'ils dégustèrent avec la dernière miche de pain.

Étant prêts à affronter les gardiens du mont Olympe, le groupe se déplaça en laissant les dragnardeaux en liberté. Ces derniers hennirent en essayant de voler à travers un sous-bois dense. La troupe avançait à pas de tortue sur un terrain pentu et rocailleux. En tête, Arméranda les avertissait de la position de ces colosses en langage succinct.

– À droite, six à trois mètres. Deux à vingt mètres. Dix à trente mètres.

– Je ne vois personne, murmura Inféra qui tenait Féerie par la bride.

– Moi de même, renchérit Nina.

– Moi, je ne perçois que des rochers dénudés, chuchota Andrick.

– Pourquoi ne se montrent-ils pas ? demanda Inféra.

— Un jeu, je suppose, répondit Arméranda. Oh ! je crois que le jeu vient de prendre fin.

Soudain, une vingtaine de Douades les encerclèrent et les immobilisèrent. Hauts de taille, ces hommes-animaux avaient le corps couvert d'une fourrure grise, une forte tête garnie de deux cornes de bélier qui s'enroulaient autour de leurs oreilles et se projetaient en avant. Sur le front, six pointes osseuses s'étalaient en deux rangées. Les narines étaient larges et noires et la cavité inférieure servant à ingérer les aliments ressemblait plus à un museau qu'à une bouche. Debout, leurs jambes trapues se terminaient par de grosses pattes poilues bien étalées et bien stables, parfaitement adaptées à l'escalade. Ces personnages n'avaient d'humains que leur posture et la voix. Inféra tremblait de tous ses membres. Elle n'avait jamais vu des êtres si hideux, tandis que les jumeaux et Picou se sentaient confiants grâce à la magie et Arméranda, parce qu'elle avait déjà vu pire.

— Bien dit, lança d'une voix grave un des colosses fortement armés.

Il portait une arbalète chargée d'une main. Divers couteaux et autres armes de poing étaient accrochés à une ceinture en bandoulière. Les autres comparses pointèrent leur arbalète vers eux et vers les dragnards. Les petits s'affolèrent et se cachèrent entre les pattes d'Orphée et de Frivole.

– Vous êtes sur notre territoire, que venez-vous faire ? poursuivit-il en les dévisageant avec férocité.

Loin d'être intimidé, Andrick s'approcha de ce monstre qui le dépassait d'une tête. Ce dernier recula de quelques pas et détourna la tête. L'odeur du thuya l'incommodait.

– Nous voulons passer et visiter des connaissances, dit Andrick d'une voix hardie, qui résident de l'autre côté du mont Olympe.

La bête fit un signe de tête à un de ses compagnons derrière le peloton, le plus mince et le moins armé. Il sortit un bloc-notes de son sac en bandoulière et s'approcha de l'interlocuteur.

– Vos noms ? demanda le Douade écrivain.

Andrick fit les présentations et il dut répéter souvent. Le preneur de notes avait de la difficulté à écrire. Les doigts de ces monstres se terminaient par de longues griffes noires et affilées, ce qui compliquait la tâche, sans parler de sa chevelure et des poils au visage qui lui cachaient partiellement les yeux. Ses griffes s'accrochaient sur ce papier rugueux en crissant, ce qui faisait rouler les yeux du chef.

À la fin de ce questionnement, il ordonna à deux de ses confrères de les fouiller un à un. Visiblement, l'odeur de la lavande et du thuya ralentit le processus. Ils se pincèrent le museau à de nombreuses reprises. Ils saisirent quelques diamants et quelques pièces d'or que portaient les chevaliers du Dragon rouge à la bourse de leur ceinture. Ils examinèrent leur épée. L'annotateur fit signe du peu d'intérêt même si chaque pommeau était garni d'une pierre précieuse. Le bijou que portait Inféra retint son attention. Il s'agissait d'une breloque étrange et incomplète en or qui pendouillait à une fine chaîne dorée. On aurait dit la pointe d'une étoile. Il fit un geste pour le prendre. Inféra agrandit ses yeux et émit un petit cri de surprise. Étonné par cette réaction, il se ravisa.

— Ce n'est après tout qu'un bijou brisé sans valeur, dit-il. Je vous laisse cette pacotille.

Il s'en détourna. Il se rapprocha de la jeune cavalière qui portait une variété de colliers de turquoise. Il s'en désintéressa rapidement en les considérant comme un assemblage de roches banales enfilées les unes à la suite des autres et dont un était décoré d'une grosse ferraille sans valeur. La dragon-fée et Arméranda se regardèrent et poussèrent un soupir de soulagement en le voyant s'éloigner d'elles.

Seul Picou fut épargné d'une fouille, mais il ne fut pas épargné d'une rigolade. Les Douades le prirent pour un rat déguisé avec une tunique rouge et décoré d'une épée à sa ceinture. L'un d'eux le prit du bout de ses griffes, se lécha le museau et s'amusa à le secouer en riant. Au bout d'un certain temps, fatigué de le voir s'agiter dans tous les sens, il le déposa tête en bas dans une sacoche de la selle d'Horus. Les Douades fouilleurs déposèrent 22 diamants et une douzaine de grosses pièces d'or au pied du preneur de notes. Ce dernier s'accroupit et fit le décompte.

— Combien avons-nous ? demanda le chef.

— À peine pour couvrir le passage, cria l'écrivain.

– Hum ! IL M'EN FAUT PLUS ! hurla-t-il.

De sa main droite, il montra son index.

– En haut, en bas, poursuivit-il en le levant et en l'abaissant.

Par la suite, il les fixa et prit une voix caverneuse tout en continuant d'agiter son index :

– En haut, c'est la vie. En bas, c'est la mort. Alors, on n'a pas plus de pièces d'or ou de diamants ?

Il agita son doigt pour finalement gratter la pointe de sa corne d'un sourire malveillant. Tous se raidirent. Que devaient-ils faire ? Fouiller dans leurs bagages et risquer qu'ils s'aperçoivent qu'ils cachaient d'autres richesses. Arméranda s'approcha de lui tout en lui laissant une certaine distance pour ne pas l'importuner par sa senteur. Elle s'agenouilla.

– Nous n'en avons pas plus, mentit-elle. Je fais appel à votre bon sens. Nous allons dans un pays où on m'a dit que l'or et les diamants coulent à flot. C'est pour cette raison que nous y allons. Pour refaire notre richesse. Au retour, car nous avons l'intention de regagner notre pays natal, nous serons mieux en mesure de vous dédommager pour le passage.

De son gros doigt griffé, il gratta avec plus de force sa corne en émettant de nombreux hum hum. Est-ce que de simples mortels allaient l'attendrir, lui qui avait fait exécuter des milliers de gens de toutes sortes ? Le dernier Elfe l'avait un peu touché. Il voulait revoir sa parenté, mais il n'avait que trois pièces d'or et deux diamants. Cette dame lui fit miroiter la possibilité de rapporter à leur retour un coffre plein d'or et de diamants. Il lui sourit. « La jolie dame allait refaire sa richesse, avait-elle dit, eh bien, c'est chouette, car je compte bien m'enrichir à mon tour à sa prochaine visite et elle repartira d'ici les mains vides », pensa-t-il. Ce plaidoyer le convainquit.

— Vous m'avez touché le cœur, belle dame, dit-il avec beaucoup de sarcasme. Il existe deux passages, un plus aisé et un plus… souffrant. Vous allez connaître ce dernier. Ce que je vois comme paiement est vraiment trop peu. À votre retour, j'exigerai cinq fois cette mise pour une voie plus expéditive et plus douce.

Il lui fit signe de se relever.

— Vous verrez, hi, hi, ricana-t-il, vous ne voudrez pas reprendre l'ancien passage. Est-ce que cela vous convient ?

Arméranda se leva et regarda le reste de la troupe. Chacun inclina la tête en signe d'approbation.

— Oui, ça ira ! répondit-elle.

Il éclata de rire, un rire particulièrement sinistre qui fit regretter à Arméranda son accord.

— Alors, suivez-moi !

La troupe se mit en branle et ils arrivèrent devant une brèche dans le flanc de la montagne.

— Allez tout droit devant vous et ne vous laissez pas distraire par les habitants de cet endroit, pouffa-t-il d'un rire méphistophélique.

Les autres bêtes firent de même.

— Tout droit ? demanda la jeune cavalière.

— Oui, tout droit. Au bout d'un certain temps, vous verrez la fin du tunnel, éclata-t-il d'un gros rire gras.

À demi rassurés, ils pénétrèrent dans la caverne et ils notèrent la chaleur qui s'en dégageait. Ils enlevèrent leurs épées et leur tunique pour ne garder que la chemisette et leur pantalon. Plus ils avançaient, plus les lieux étaient rougeoyants et chauds.

– C'EST L'ENFER, ICI! s'écria Inféra. Quelle chaleur!

Les dragnardeaux marchaient avec peine et avaient la langue pendue. Ils cherchaient de l'air frais du mieux qu'ils pouvaient.

– Ouais, frérot, il faudrait faire quelque chose, je sens que je vais m'évanouir, précisa Nina.

Des flammes jaillissaient à certains endroits des parois rocheuses et du plancher. Au lieu d'y voir des flaques d'eau, c'était un magma en ébullition. À chaque inspiration, l'air chaud brûlait les narines et les asséchait.

– Par la bave des crapauds, il faudrait faire quelque chose, suggéra Arméranda. Je crois que je suis en train de fondre.

– Je n'ai aucune idée de ce qui pourrait refroidir ce tunnel, dit Andrick qui s'essuyait le front avec la manche de sa chemisette.

– Une tonne de glace, répondit Picou.

– On pourrait faire apparaître un immense bloc de glace, dit Nina. Aïe, j'ai senti une piqûre.

Elle se pencha et remarqua sur sa jambe une petite inflammation.

– Mais qu'est-ce qui a pu me piquer ainsi?

Elle vit de minuscules personnes armées d'un pic qui rôdaient autour d'eux, des personnages tout rouges ayant deux cornes au sommet de la tête et une longue queue fourchue. Puis ce fut Inféra qui cria de douleur.

– Regardez, ils fourmillent de partout, ajouta Nina.

– Je pense qu'un petit rafraîchissement ne leur ferait pas de tort à eux aussi, commenta Andrick.

– C'est vrai ! approuva Nina. Faisons vite, je me sens défaillir.

– À nous trois, on peut recouvrir une bonne partie des parois de ce passage, dit Picou. Je suggère comme mot à utiliser : Iceberg.

– D'accord ! agréa Andrick en saisissant sa baguette magique.

Nina pointa l'avant du tunnel avec Picou tandis que son frère, l'arrière du tunnel. D'un commun accord, ils crièrent : « ICEBERG ! ». En quelques secondes, les parois se recouvrirent d'une épaisse glace emprisonnant les petits individus. Les lieux se rafraîchirent à l'instant même. Aussitôt, Horus, les dragnards et leurs progénitures accélèrent le pas. Chaque membre de la troupe revêtit son manteau de fourrure et marcha d'un pas rapide.

– C'est beaucoup mieux, dit le jumeau.

– Ouais, tu aurais dû le faire plus tôt, nota la cavalière.

Pendant un certain moment, cette solution semblait la meilleure, mais des craquements sinistres de la glace et la présence d'eau au sol commencèrent à inquiéter Nina.

– Sauf que la chaleur des parois fait fondre la glace, remarqua la jumelle. Des filets d'eau se forment.

– Bah ! Ce n'est qu'un ruisselet, dit Picou, qui s'accrochait à l'épaule de sa compagne.

– Un ruisselet qui risque de devenir une rivière, ajouta-t-elle.

La glace se fissura à de nombreux endroits en émettant des sons inquiétants. Des jets de vapeurs chaudes jaillissaient de tous bords et de tous côtés.

– Merde ! Courons avant que cette masse glacée ne tombe sur nous ! ordonna Arméranda.

Ce fut un sauve-qui-peut général. Il ne fut pas facile de courir sur un sol en partie gelé et en partie couvert d'eau, de pointes de roches et de débris de glace. Puis, le ruisselet se transforma en ruisseau. Inféra enjamba un bloc de glace, Picou juché sur son épaule tomba sur le cul, dans l'eau. Il parvint à refaire surface et à nager. La glace cédait de plus en plus et chutait en grandes galettes. L'eau monta rapidement. Un fort courant d'eau se forma et propulsa la troupe, les dragnards et Horus vers la fin du tunnel. Tout allait trop vite. Ils eurent beau crier, rien n'y fit. L'eau les emportait à une vitesse affolante. Impuissants, ils durent encaisser de nombreux coups contre les parois rocheuses. Soudain, ils se sentirent projetés dans les airs comme un projectile dans une catapulte. Ils tombèrent pêle-mêle dans un marécage peu profond.

Épuisés, blessés et couverts de boue, ils sortirent du terrain marécageux. Malgré une fracture à la jambe, Andrick fut le premier à se relever et à se maintenir debout contre un arbre. Il fit le décompte.

— Par la barbe des dieux, nous sommes tous là !

CHAPITRE 6

LA DÉLÉGATION

Ce soir-là, après une fin de mission catastrophique, la commandeure Mélissa Style et le capitaine Ian Prévenu rencontrèrent quatre de leurs ingénieurs, spécialisés dans les explorations minières, autour d'une table. Après une journée de repos, Mélissa était encore fiévreuse. Fière, elle marcha en grimaçant à l'aide d'une canne jusqu'à la salle de conférence. Dix minutes auparavant, elle avait refusé de prendre un fauteuil roulant. Elle s'assit et déplora que la blessure de sa main droite saigne à nouveau malgré un pansement serré. Une des ingénieurs se porta à sa rescousse et lui tendit son mouchoir. Elle enveloppa sa main.

– Bonjour, messieurs Noah Martin, Mathis Lombard, Lucas Villard et madame Anita Besner, dit Mélissa en se concentrant pour paraître en possession de tous ses moyens. Nous revenons d'une mission sur le continent Alphard. Les résultats furent très positifs, mais… malheureusement, il y a un mais, bien que cette source soit d'une quantité sans limites, d'une pureté incroyable et… que nous estimions qu'en une seule journée, nous pourrions atteindre notre objectif et ainsi compléter notre mission pour enfin… pouvoir rêver de quitter la planète Dina et de réapprovisionner notre terre natale Errat pour quelques centaines d'années, cette source nous est inaccessible. Elle est protégée par des forces magiques et une armée bien entraînée. Ce qui m'amène à vous dire que nous devons nous concentrer sur les gisements disponibles sur le continent Matrok. Je vous saurais gré de me faire connaître vos derniers développements.

– Bonjour commandeure Style, je crois bien ne rien vous apprendre en vous disant que les mines que nous exploitons présentement, dit Noah, le plus âgé parmi ces chevronnés en géologie, sont pratiquement à leur limite de vie. Il ne reste plus grand-chose à explorer, nous grattons les fonds.

– Si proche du but, soupira Mélissa.

– Toutefois, nous avons dernièrement fait quelques investigations du côté des îles plus au sud, dit Anita.

– Les îles du diable ? annonça Ian. Dans votre dernier rapport trimestriel, vous en aviez fait mention.

– Oui, capitaine, nous avons extrapolé les données et nous croyons que le filon exploité se poursuit jusqu'aux îles. Nous avons, durant la période estivale, fait une courte excursion de prospection. Malheureusement, ces îles sont inhospitalières et peuplées de créatures sournoises, des dragons de Korodo.

– Oui, j'ai vaguement entendu parler de ces dragons, affirma Mélissa. Ils ne sont pas très gros.

– En effet, dit Lucas, un ingénieur dans la trentaine à la chevelure abondante, ils ne sont pas aussi gros que les dragons que nos ancêtres ont capturés jadis, il y a plus d'un siècle. Mais quand même, ils attaquent à une vitesse fulgurante et un seul coup de dents suffit pour tuer un animal aussi gros qu'un cerf. En majorité, ils sont plus lourds et plus rapides que nous. Ce ne sont pas des dragons proprement dits, mais plutôt des varans, des lézards surdimensionnés. Nous l'avons constaté hum hum… à nos dépens… Mon chien, un beau Saint-Bernard, a servi de pâture à l'un d'eux.

— Et sur ces îles du diable, y a-t-il beaucoup d'actinide ? demanda la commandeure, agacée que leur conversation dévie sur la faune plutôt que de se concentrer sur le minerai recherché.

— Nous le croyons, dit Mathis, un ingénieur mature aux yeux bleu acier et aux cheveux blonds tournant au blanc.

— Donc, ce n'est pas sûr ? questionna le capitaine.

Noah se leva et fit actionner un moniteur qui dévoila sur un pan de mur blanc une carte géographique du continent Matrok. Il expliqua :

— Même si, lors de notre excursion, il nous fut impossible d'effectuer des percées d'expertise, nous croyons que la faille que nous exploitons se prolonge dans l'océan et se poursuit jusqu'à ces îles rocheuses et même un peu au-delà. La forme en boomerang du continent nous permet de croire qu'il y a nécessairement une zone où ce filon se poursuit. Actuellement, nous ne sommes pas équipés pour récupérer ce précieux minerai sous l'eau. La seule option qui nous paraît viable est d'explorer ces îles et d'y prendre quelques prélèvements, malgré un côté quelque peu risqué avec ces dragons.

— Vous n'avez qu'à tuer toutes ces bestioles, conclut Ian, irrité tout comme sa chef que le débat soit ramené à un sujet secondaire.

Ce commentaire fit sourciller la commandeure, ce qui plut à Lucas.

— Nous ne sommes pas des meurtriers, dit ce dernier. Nous sommes des scientifiques et nous désirons que l'équilibre naturel ne soit pas rompu par notre activité minière.

— Je suis d'accord, renchérit Mélissa. Nous avons déjà trop fait de tort dans le passé. Tous les dragons ont disparu du continent Alphard par notre faute.

— Quoique... dit Ian, j'ai cru comprendre de la bouche même de votre fils que vous en avez repéré un, il y a de cela un mois à peine lors d'une expédition de plaisance. Ce qui me fait dire que la nature cherche toujours à se recréer, même les espèces en voie de...

La commandeure n'apprécia pas cette remarque.

– Je vous prie, mon capitaine, l'interrompit-elle avec fermeté, de ne plus en faire mention. Que ce soit clair entre vous tous ! Oui, il existe un dragon et oui, les forces qui bloquaient l'accès au continent Alphard sont maintenant inexistantes. Il semble que l'effet de l'un annule l'effet de l'autre. En d'autres mots, il semble que l'existence d'un dragon ait permis d'enlever le bouclier magnétique qui bloquait notre accès à ce continent. Donc, je suis en mesure de conclure qu'il en existe, peut-être même plusieurs, sur le continent Alphard. Le sujet est clos.

Le groupe de scientifiques émit un oh de stupéfaction. Ces œufs magnifiques, que le commandeur Adrien avait amenés sur le continent Matrok, il y a de cela 150 ans, des milliers d'œufs de dragons volés par caprice et par folie, avaient fait beaucoup de tort à la population autochtone et à la végétation environnante. Les dragons, malgré un enclos d'apparence indestructible, se sont répandus dans la nature, brûlant la forêt boréale de Matrok. Les pluies ont par la suite érodé le territoire. Ce pays riche en forêt et en gibier n'avait plus qu'une maigre végétation et qu'une faune appauvrie. La population native fut presque décimée. À peine une centaine ont survécu aux attaques des dragons et aux rigueurs de cette terre devenue inhospitalière. Les dragons ont fini par mourir de faim et de froid. Cent quarante ans plus tard, les Erratiens se sont établis à nouveau à la recherche de l'actinide. À leur arrivée, les Matrokiens les accueillirent comme des sauveurs en les voyant débarquer avec de la nourriture et construire des serres.

— Il ne faudrait pas ramener une de ces bêtes féroces ici, blagua Anita.

Mélissa leva un sourcil. Elle n'apprécia pas cette remarque et l'ingénieure baissa la tête.

— Loin de moi cette pensée. Je promeus l'équilibre et, si nous devons extraire un minerai, il faut le faire dans les règles de l'art, c'est-à-dire ne pas détruire sauvagement une espèce, qu'elle soit végétale ou animale. Est-ce que je me suis bien fait comprendre ?

Autour de la table, tous acquiescèrent en hochant la tête. Seul le capitaine ravala sa salive. La commandeure avait le don d'obtenir l'assentiment et le respect de tous. Il reconnut son erreur et se mordit la lèvre.

— Quel est votre plan d'action ? demanda Mélissa.

— Demain, ma commandeure, le temps sera propice à une exploration, informa Noah. Une température assez fraîche, mais ensoleillée.

— Je vous remercie de votre attention ! Monsieur Noah Martin, je vous nomme responsable de cette mission. J'attends de vous un rapport complet à votre retour. Pour éviter d'effrayer les Korodo, prenez le plus petit vaisseau ! Je vous recommande de la prudence et aucun geste déplorable. La séance est levée, conclut la commandeure.

Les quatre scientifiques se relevèrent en reprenant leur matériel. Ils laissèrent seuls Ian et Mélissa.

— Je comprends que je ne serai pas chef de délégation, exprima le capitaine avec amertume.

— Malheureusement non, capitaine. Je ne suis pas en état de gouverner. Je demande votre assistance et votre discrétion. Je comprends votre intérêt à cette exploration.

D'un naturel curieux, elle aurait aimé parcourir elle-même ces îles, accompagnée de son groupe d'experts. Mais la fièvre empirait et elle sentait une grande fatigue s'emparer d'elle. Contrairement à ses habitudes, elle demanda l'aide de son capitaine pour se rendre à sa chambre.

Ian sourit. Son jour de chance était peut-être arrivé ? « Et si son état s'aggravait, pensa-t-il, du rôle d'adjoint, je passerais au rôle de décideur. » Cette idée mit un baume à sa souffrance d'être le deuxième. Mélissa lui inspira des sentiments confus de jalousie et d'admiration. De toute évidence, il voulait ce poste tant convoité de commandeur et aurait procédé avec plus de vigueur pour exterminer les dragons de Korodo. D'un autre côté, son grade ne permettait pas le moindre écart vis-à-vis l'autorité de la commandeure. En acceptant son titre, il avait prêté serment de loyauté et de fidélité à la commandeure, à la souveraine de Matrok.

CHAPITRE 7

LA TERRE DES ELFES

— Je crois que ce ne fut pas la meilleure idée, dit Andrick en soignant Picou qui avait une grande lacération à la poitrine.

— Il y a quand même un beau côté à la chose, l'eau a diminué de beaucoup la durée du voyage, fit-il en essayant de rigoler.

— Par chance, le passage descendait dans le bon sens. Sinon, on aurait abouti à notre point de départ et les gentils Douades nous auraient reçus à bras ouverts, grrrrr… émit Inféra en faisant une pauvre imitation d'une de ces brutes en position d'attaque.

– Très bonne conclusion, affirma Arméranda. Heureux que nul ne soit décédé. À la vitesse que j'ai heurté certaines pierres, je m'en suis tirée pas si mal, avec des égratignures, une cassure au bras et une foulure à la cheville.

– Ouais. Il nous faudra être plus vigilants. Il nous reste très peu d'eau guérisseuse. Au rythme où nous allons, les réserves seront à sec d'ici peu, commenta Andrick.

Il regarda autour de lui. Plus personne n'avait de blessures. Dans ce tourbillon d'eau qui les avait projetés sur la Terre des Elfes, chacun s'était frotté aux parois rocheuses, certains se blessant gravement, d'autres plus légèrement.

– Dans tous les cas, nous avons du lavage à faire. Tout est sale, constata Inféra attristée par sa tenue vestimentaire déchirée et crasseuse. Sans parler qu'un peu de couture pour réparer les trous béants de mes vêtements serait la bienvenue. C'est navrant que l'eau guérisseuse ne les répare pas.

Nina admira le paysage. Les collines en premier plan offraient une palette de verts luxuriants et prenaient fin à l'orée d'une forêt de sapins et d'épinettes qui s'étendait à perte de vue. Non loin de là, un cours d'eau dévalait dans l'échancrure de deux vallons.

— Les lieux sont splendides et la température est merveilleuse. Je me sens comme au printemps, dit Nina. Je crois que se baigner dans cette rivière nous fera le plus grand bien.

— En tout cas, dans une rivière calme, blagua le jumeau.

— Je ne sens aucune présence malveillance, précisa la cavalière. Les lieux sont sûrs.

En arrivant à ce cours d'eau peu profond, ils constatèrent l'impossibilité de nager. Ils firent un brin de toilette pour se libérer de la boue collée à leurs habits et se reposèrent, le temps de récupérer de l'aventure passée à l'intérieur du tunnel du mont Olympe.

Après ce repos, les enchanteurs firent un tour de passe-passe et les vêtements de la troupe furent aussi beaux qu'au premier jour de leur confection. Après une heure de relaxation et la dégustation d'un thé réconfortant, ils étaient prêts à poursuivre leur route et à risquer la traversée de la forêt. Leur tactique consista à marcher au lieu de voler au-dessus du territoire et ainsi ne pas se faire repérer dans le ciel, un espace visible aux yeux de tous.

Les bois étaient denses et peuplés de moustiques. Les dragnards se heurtaient aux branchages. Chaque pas était exténuant. Fatiguée, Nina s'arrêta. Elle écrasa d'une seule claque trois moustiques collés à son cou.

– J'en peux plus ! s'exclama-t-elle en soupirant et en s'accroupissant dans des fougères.

– Nous ne sommes qu'à quelques mètres, l'encouragea Arméranda. J'entends une large rivière qui coule et qui mettra fin à ce déplacement difficile.

– Comment peux-tu le savoir, je n'entends même pas un bruit annonçant qu'il y a un courant d'eau ! s'exclama Nina, le visage rougi et enflé par les piqûres.

– Je le sens. Nous sommes tous fatigués et exténués. Allons, un peu de courage, relève-toi et marchons !

En se relevant, Nina se mit à rire. Personne ne comprenait son débordement.

— Mais quoi, regardez-vous ! Nous avons l'air de zombies, lança-t-elle en se bidonnant et en se dandinant dans cette haute verdure.

Tous avaient pris une allure de cadavres boutonneux. Nina écarta les fougères pour prendre une branche au sol. Elle la tira en direction de son frère qui la reçut en plein sur la caboche.

— T'es folle, ou quoi ? cria-t-il en se frictionnant le cuir chevelu.

Par la suite, il s'empara d'une grosse roche qu'il lança en direction de sa sœur et elle vint s'échoir à ses pieds, à quelques centimètres.

— Manqué ! rigola-t-elle en sautillant. T'as déjà été meilleur, frérot. La la la la ! Bébé lala ! T'es même pas capable de me viser !

Andrick reprit une roche et la menaça.

— Voyons, Andrick, calme-toi ! ordonna Picou.

— Moi, j'ai faim, dit Inféra en se mettant à gratter le sol comme une démente.

Frivole, d'habitude le plus tranquille des dragnards, se mit à regimber. Coquette commença à mordiller son petit frère et Orphée, à malmener Féerie.

– L'air est malsain, réussit à dire Arméranda en relevant sa tunique et en masquant ses narines de cette poussière volante dans l'atmosphère. Les spores de ces fougères contaminent l'air. Ceux qui le peuvent, bouchez-vous le nez et sortons d'ici au plus vite.

Au lieu de suivre ses recommandations, les jumeaux s'insultèrent de plus belle, Inféra creusait de plus en plus le sol et les dragnards continuaient à se chamailler. Picou, le nez pincé, comprit l'importance de dissiper ces spores loin d'eux et d'éloigner d'urgence Nina folâtrant dans cette végétation aux propriétés exaltantes. Il la projeta dans les airs et elle aboutit sur une branche d'un grand hêtre. Ensuite, il fit apparaître une enveloppe et concentra les sporanges dans l'air en une seule balle. Elle était toute petite et il fut aisé de la faire pénétrer dans l'enveloppe et de la sceller. Le calme se rétablit à l'instant même. Picou creusa et l'enterra.

– Bon, au moins, ces spores n'agiront plus sur nous, dit-il.

Inféra découvrit avec horreur ses doigts écorchés. Andrick alla vers elle et lui versa de l'eau guérisseuse.

— Pourquoi, diable, m'as-tu expédiée ici ? demanda la jeune fée à Picou.

— C'est toi qui as déclenché toute cette folie en te vautrant dans ces plantes.

— Comment pouvais-je le savoir ?

Elle étendit ses ailes et fit une chute drastique. En raison de la canopée dense de la forêt, ses ailes ne se déployèrent qu'à demi et ne lui permirent pas de planer. Elle s'égratigna les genoux et hurla de douleur. Normalement, Andrick se serait étouffé de rire. Au lieu de cela, il s'écria d'un ton choqué :

— Mais à la fin, qu'avez-vous tous à vous blesser sans arrêt ? Tu vois, il en reste à peine pour toi.

Il aspergea ses genoux jusqu'à la dernière goutte et fit cette constatation :

— C'est fini. Nous n'en avons plus. satisfaite !?

— Mais je ne pouvais quand même pas savoir que ces plantes avaient ce pouvoir maléfique et que je ferais une chute à partir de cet arbre ! protesta Nina.

— Cette eau nous a bien servis, s'adoucit-il. Maintenant, nous ne devrons compter que sur notre magie. Nous savons tous qu'il ne faut pas en abuser. Alors, il faudra être vigilant.

– Concentrons-nous et allons vers la rivière, conclut Picou, loin de ces moustiques qui nous dévorent vivant.

– Ouais, ce n'est pas trop tôt, dit Arméranda qui attendait patiemment que la troupe reprenne la marche.

Ils franchirent à peine une vingtaine de mètres et débouchèrent sur la rivière. Peu de temps après avoir été débarrassés de leurs bagages, les dragnards se jetèrent à l'eau et la troupe les suivit. Ils nagèrent dans cette eau cristalline et fraîche. Puis, ils sortirent et revêtirent des tenues sèches. Le venin des piqûres d'insectes les irritait et ils se grattèrent avec férocité.

– SURTOUT, NE FAITES PAS ÇA ! cria Arméranda. Vous aggravez votre cas. Il faut préparer des compresses d'eau chaude. La chaleur inactive le poison. Il suffit d'utiliser de la chaleur et un lait de plantain pour apaiser la démangeaison. On est chanceux, il en pousse aux abords de la rivière

Elle remplit un chaudron d'eau. Picou fit flamboyer un feu ardent sur des galets de plage et fit apparaître des compresses de coton.

— Merci ! dit Arméranda en installant le chaudron sur la braise.

D'un clin d'œil, Andrick accéléra le processus de réchauffement de l'eau. Picou distribua les petits carrés de tissus. Ils appliquèrent ces compresses d'eau chaude sur les inflammations et constatèrent leur effet bienfaisant. La cavalière ne mit que quelques minutes pour ramasser du plantain et l'écrasa sur une pierre lisse et propre. Elle fit une démonstration en appliquant le suc laiteux de la plante sur les rougeurs, qui s'estompèrent au contact de ce liquide. Les autres l'imitèrent.

— Les bienfaits de la nature, s'écria Picou. J'ai souvent pensé que nous, les magiciens, ne puisons jamais assez dans ce monde merveilleux qu'est la nature. Nous avons tort de toujours régler nos maux par la magie.

— Sans parler que cette plante est fort utile contre la toux, la constipation et la bronchite. Bon ! Cette marche en forêt m'a creusé l'appétit. Il y a là dans cette rivière de belles truites arc-en-ciel. Elles sont délicieuses, surtout qu'il y a le long des rives de belles girolles. J'ai encore quelques abricots séchés, un pot de lardons salés et un gros oignon. Vous allez voir ce que les chevaliers d'Actinide savourent le plus : de la truite arc-en-ciel avec une tartinade aux girolles et abricots. C'est divin !

– Je veux bien essayer, qui fait quoi ? demanda Nina un peu perplexe à l'annonce de ces mets étranges.

Arméranda fit une suggestion. Elle se chargera d'attraper quelques truites et de les arranger, pendant qu'Inféra et Nina partiront à la recherche de girolles, abondantes dans les environs. Picou et Andrick seront affectés à chercher davantage de branchages pour le feu. La proposition fut accueillie sans opposition. Elle monta sur une grosse roche et décocha six flèches, puis recueillit six belles truites.

La jeune fée et la dragon-fée revinrent les bras chargés de chanterelles et d'ail des bois. Arméranda coupa quelques morceaux de lardons dessalés et les fit sauter avec de l'oignon, un soupçon d'ail et une grande quantité de champignons. Puis, elle réhydrata les abricots et les ajouta au mélange de champignons. Elle mit la poêle sur le côté du feu pour que cette tartinade mijote tout doucement et que la sauce s'épaississe. Ensuite, elle fit fondre d'autres lardons dans un autre poêlon très chaud et glissa les filets de poisson. Elle les fit cuire jusqu'à ce que la peau devienne croustillante et la chair caramélisée. Puis, elle fit la mise en assiette en disposant la tartinade d'un côté et les filets de l'autre dans les gamelles de bois. Elle les décora d'un peu de feuilles de menthe.

— Il n'y manque qu'un peu de tubercules, soit des pommes de terre ou des topinambours, mais je crois que ces derniers temps, on en a assez bouffé, ironisa Arméranda.

La blague tomba à plat. Ventre affamé n'a pas d'oreilles. Le groupe avait tellement faim que personne ne réagissait à son affirmation. Pendant quelques minutes, tous se turent. Ils étaient concentrés à déguster le mets.

— Délicieux ! reconnut Inféra.

— C'est exquis, complimenta Andrick qui en reprit. Ça fond dans la bouche. Et cette tartinade, hum, frôle presque le sublime.

— Je n'ai jamais goûté quelque chose d'aussi bon, commenta Nina.

— Il ne manque qu'un peu d'hydromel pour accompagner ce festin, soupira Picou.

Arméranda savoura une deuxième truite. Elle se sentait en déficit de bonnes protéines animales. Il n'était que 14 h, mais le groupe sentit une grande fatigue à la fin de ce repas gastronomique.

— Je crois qu'un peu de repos nous fera le plus grand bien, dit la jeune fée. J'ai les yeux qui se ferment tout seuls.

Andrick acquiesça et bâilla. Les dragnards s'étaient regroupés autour d'eux et relaxaient.

— Je crois qu'on devrait se construire un abri avant qu'on n'ait plus aucune force, dit le jumeau.

— Tu as raison sur deux points. Premièrement, nous sommes tous exténués et deuxièmement, les lieux sont sûrs, informa Arméranda. Demain, nous serons plus en forme pour explorer les parages et poursuivre notre route.

Le groupe acquiesça à cette sage décision et ils construisirent un refuge pour la nuit.

Durant son sommeil, Andrick vit en songe Launa qui chevauchait un dragon tout comme lui. Elle portait une magnifique robe dans les tons dorés. Ses longs cheveux blonds volaient au vent et, lorsque le dragon piqua, il remarqua ses ailes roses. En se réveillant, il décrivit son rêve à sa sœur.

– C'est probablement un message, affirma la jumelle.

– Un message de quoi ?

– Qu'elle est vivante et qu'elle fait partie, tout comme nous, des enchanteurs.

– Tu crois ?

– Oui, puisqu'elle avait des ailes comme moi.

– Tu as raison, chère sœur, dit-il en se retenant de ne pas pleurer de bonheur.

– De quelle couleur était son dragon ?

– Bleu, je crois, presque noir.

– Et sa robe ?

– De Launa ?

– Oui, pas celle du dragon !

– Dorée.

Nina sourit.

– C'est un très beau présage, finit-elle par dire. L'or et le bleu foncé sont des couleurs royales. Ce sera notre souveraine. Pour une fois, ce sera une femme.

Andrick sourit. Il était compétitif, mais pas au point de vouloir régner. Son ambition se limitait pour l'instant à accomplir sa mission. « Launa règnera comme son père », pensa-t-il. Il ignorait tout du comportement dément du souverain depuis quelques mois. Il conservait une image d'un roi bon et généreux.

CHAPITRE 8

LAUNA A PRIS UN MAUVAIS PLI

Ces derniers jours, Launa et Frédéric se retrouvaient souvent seuls à part des serviteurs qui assuraient la propreté des lieux et le train-train régulier. Étant souffrante, la commandeure récupérait dans sa chambre et les membres de la direction besognaient dans les bureaux dans une des ailes en annexe. Le château de verre semblait déserté et lorsqu'elle marchait dans les grands corridors, elle entendait ses pas résonner.

Ce matin, elle s'est réveillée très tôt. Dans sa chambre, elle se désolait de voir un paysage si blanc par la fenêtre de son quart de bulle de verre. «Je ne vois que de la neige!» se dit-elle. Les tempêtes des derniers jours et le froid la tenaient captive dans ce domaine bien chauffé et éclairé. Elle visitait de moins en moins son dragnard. Pour le rejoindre, il fallait traverser tout le palais et passer dans un tunnel sous terre. Ce trajet lui semblait long et épuisant. Par pure paresse, elle l'avait négligé.

Au château de son père, durant la première année de sa vie, Frenzo avait dormi dans son lit. Par la suite, il fut gardé à même la demeure royale dans un enclos fermé près de l'entrée, à un étage en dessous de sa chambre. Tous les matins, elle courait le brosser, le nourrir et voler avec lui une heure avant le petit déjeuner. Il n'était qu'à 15 minutes de marche de sa chambre.

Même Frédéric se faisait discret. Depuis qu'il avait vu le fameux dragon rouge, il était plongé dans des livres anciens. L'ennui la prit. Loin de ses parents et isolée dans ce territoire froid et glacial, elle sentait son humeur de plus en plus maussade.

Elle descendit à la salle à manger où il y avait habituellement un va-et-vient du personnel, des hauts dirigeants et des scientifiques. Seul Frédéric était assis à la table. Trois servantes s'activaient autour de lui pour qu'il ne manque de rien.

– Bon matin, dit Launa en se réjouissant de le voir.

– Bon matin à toi, répondit poliment Frédéric.

Elle s'assit près de lui et une des servantes lui versa un chocolat chaud et lui tendit des croissants et d'autres pâtisseries. Elle prit une énorme brioche aux raisins et au miel.

– Pourquoi ne viens-tu pas jouer avec moi plus souvent ? demanda la jeune fée.

– Depuis que j'ai vu ce dragon rouge, j'en rêve. Dans mon livre, des dragons de toutes sortes y sont décrits : des dragons verts, des dragons bleus vivant dans l'eau, des dragons aux écailles d'or et...

– Ç'a vraiment existé ! C'est à peine croyable.

– Ma mère m'en parlait souvent et m'avait dit qu'ils étaient tous disparus suite à une catastrophe. Et puis, chez toi, il se passe des choses très étranges, finit-il par dire en finissant une tartine aux bleuets.

– Comme quoi ?

– Le lac Cristal.

— Ah, ça! Tu veux dire l'eau guérisseuse, c'est ça?

— Ouais, et les cygnes qui se transforment en humains une fois qu'ils mettent les pieds hors de l'eau et les chevaliers de l'Actinide qui vivent en montagnes.

— Et moi qui peux voler.

— Hé oui, c'est un pays extraordinaire. D'après ma mère, il y a là de l'actinide pour des générations et des générations.

Launa s'arrêta de manger.

— Quel actinide?

— L'actinide qui est sous une chute d'eau. Au lac Cristal, il y a une grotte justement située sous la chute et, à l'intérieur, il y a une quantité incom... men... surable d'actinide, dit-il en se butant sur cette épithète.

— Et comment le sait-elle?

— Pardi, elle y est allée.

— Quand ça?

— Il y a quelques jours.

— Sans nous? s'exclama la jeune fée frustrée.

— Bien sûr, c'était trop dangereux. D'ailleurs, elle est revenue drôlement amochée aux mains et à un genou, mais ma mère est forte. D'ici deux ou trois jours, elle sera sur pied et d'ici un mois ou deux, nous partirons.

Ce flot de nouvelles incohérentes troubla Launa. Elle comprit qu'il se tramait quelque chose.

– Vous partirez !? Où ?

– Nous retournerons chez nous, sur Errat.

Elle n'avait pas vu venir cette option. Elle en échappa sa pâtisserie.

– Pourquoi ? demanda-t-elle incrédule.

– Il le faut bien ! Toute bonne chose a une fin. Ma mère m'a dit qu'ils explorent des mines plus au sud. Il y a de fortes chances que des gisements soient assez importants et que nous atteignions le quota désiré.

– Et qu'est-ce que vous allez faire de moi ?

Quelques larmes lui montèrent aux yeux. Ce peuple était vraiment ingrat. Elle et Frenzo avaient été parachutés dans un monde étrange où la technologie était la raison de vivre. En plus, l'origine de leur parachutage était dans le but de désennuyer, quelques mois plus tôt, un petit garçon atteint de la grippe. Maintenant qu'elle était devenue inutile, quel sort lui réservait la commandeure ?

— Je ne sais pas.

— COMMENT ÇA, TU NE SAIS PAS? s'écria-t-elle.

— Je te le jure, je n'en sais rien. Probablement te retourner d'où tu viens?

Oh! la! la! Cette solution ne lui plaisait pas du tout. Un retour vers sa terre natale. Certes, elle s'était ennuyée de son père et de sa mère de nombreuses fois, mais la vue de ces puissantes machines qui volaient à des vitesses fulgurantes rendaient obsolètes les dragnards, d'où une raison parmi d'autres de son désintéressement pour Frenzo.

— Et si moi, je ne veux pas?

— Ne pas retourner chez toi? Impossible! Tout le monde souhaite être là où ses parents vivent, non? dit-il avec aplomb.

En temps normal, elle aurait explosé. Elle n'en fit rien puisqu'il était plus jeune qu'elle et son énoncé contenait une vérité élémentaire.

— Non, justement, je me suis habituée à vous autres, vous êtes maintenant MA FAMILLE, fit-elle en lançant le restant de sa brioche qui passa au-dessus de la tête de son hôte. Je ne veux pas retourner chez moi où nous, les fées, sommes obligées de ne pas nous exprimer. Chez vous, les femmes ont un rôle à jouer, tandis que chez nous, nous sommes un complément de l'homme et, par-dessus tout, les magiciens n'ont pas le droit d'exercer leur art. NON, DE CETTE TERRE NATALE, JE N'EN VEUX PAS !

— WOW ! Et dire que moi, je ne désire qu'une chose, visiter ton coin de pays. Il y a des choses si surprenantes.

— Et si nous faisions un échange ? Toi chez moi et moi chez toi.

— Tu sais bien que c'est impossible. J'adore ma mère et puis j'ai des grands-parents là-bas que je n'ai pas vus depuis plus de trois ans.

Elle fut incapable de finir son repas. Elle se souvint de son arrivée, de ses craintes de ce peuple si différent et de sa transformation en fée. Il était vrai qu'elle n'appartenait pas à ce monde. Elle se devait de retourner d'où elle venait. Un seul pouvait la consoler. Frenzo. Un Frenzo qu'elle avait négligé. Sans s'excuser, elle quitta la salle à manger en courant vers son animal autrefois favori.

Elle le trouva couché sur de la paille et terriblement décharné. Sans l'attention de sa maîtresse, il avait perdu l'appétit malgré les bons soins des serviteurs. Dès son arrivée, il poussa des hennissements de joie.

– Frenzo ! s'exclama-t-elle en pleurant et l'embrassant. Pardonne-moi, je t'ai délaissé.

Il se leva sur ses pattes et la lécha en signe de remerciement.

– Cet après-midi, nous irons dehors, voler comme autrefois.

Il hennit plusieurs fois et lui lécha le visage. Elle passa tout l'avant-midi avec lui à le bichonner comme autrefois, à le brosser et à lui donner à manger et à boire. En sa compagnie, il se nourrit avec enthousiasme.

CHAPITRE 9

UN CHÂTEAU GRANDIOSE

Au petit matin, la troupe suivit la rivière à pied afin de trouver un endroit dégagé et propice pour s'envoler. À certains endroits, les rives étaient escarpées, et à d'autres, sablonneuses. Ils arrivèrent au bout d'une heure de marche à une chute d'eau d'une hauteur de trois mètres. Au bas, un bassin très peu profond et au fond rocailleux permit à nos dragnards de faire une bonne baignade. Andrick ne put s'empêcher d'enlever sa tunique et de les suivre. Au contact de l'eau, il émit plusieurs cris entre le plaisir et la douleur.

– Ouf ! C'est frrr...oid aaAAAH. VENEZ, ÇA VA... VOUS RAFRAÎCHIR ! cria-t-il.

Les demoiselles le regardèrent nager avec force dans l'eau pour se réchauffer. La rivière avait une coloration bleu gris glacial.

– NON, MERCI ! JE PASSE MON TOUR ! annonça Arméranda.

– ALLEZ ! BANDE DE POULES MOUILLÉES ! VENEZ FAIRE UNE TREMPETTE, ÇA VA VOUS FOUETTER LE SANG ! cria-t-il en démontrant qu'il pouvait faire de bonnes longueurs sans problème.

Un bruit de battements d'ailes retint l'attention d'Arméranda. Elle leva les yeux au ciel. À part quelques nuages qui flânaient, elle ne vit rien que le bleu du ciel et la cime des arbres. Puis, un immense oiseau de type granivore, reconnaissable par son bec massif et conique, se pointa, suivi d'autres. Arméranda calcula qu'il y en avait une trentaine et elle nota que des hommes étaient juchés sur ces grands oiseaux.

– Saperlipopette ! En parlant de poules, il y a tout un poulailler qui s'en vient, oh ! oh ! Ils s'en viennent vers nous ! articula la jumelle impressionnée par ces volailles de grande envergure. SORS DE LÀ AU PLUS VITE ! cria Nina à son frère.

Les dragnards et Andrick sortirent de la nappe d'eau comme des diables dans l'eau bénite. Apeuré par ces animaux à plumes surdimensionnés, Picou se cacha dans une des sacoches d'Orphée et Inféra, derrière Frivole.

Ces oiseaux magnifiques, au plumage d'un bleu éclatant moucheté de jaune ocre à l'abdomen, se posèrent sur les rochers à quelques mètres d'eux. Des personnages tous habillés de cuir rouge et portant des casques de la même couleur étaient accroupis sur ces montures étranges. Ils étaient armés d'une arbalète et d'une épée.

Tremblotante, Nina chuchota à Arméranda :

— Sont-ils méchants ?

— Pas à ce que je sache, répondit-elle. Je crois qu'ils se méfient plus de nous qu'ils ne sont méchants. À leur apparence, ce sont des Elfes.

Les oiseaux s'accroupirent. Un des cavaliers, mince et de taille supérieure à eux, descendit de sa monture et s'approcha du jeune magicien. Les autres restèrent à califourchon sur leur bête et pointèrent les armes chargées en direction des visiteurs.

Les dragnards grognèrent tandis que les oiseaux piaillaient nerveusement et se dandinaient sur une patte et sur l'autre, incommodant ainsi les cavaliers. De chaque côté, les animaux s'épiaient, prêts à s'affronter. La troupe de chevaliers calmait l'agitation de leur bête en la caressant dans le cou, tandis que les cavaliers chantaient une mélodie rythmée ayant des consonances s'approchant de yoyi yoyi yoyi hi hi hi. Ils répétaient ce refrain. À la quatrième reprise du refrain, ils finirent par s'apaiser et arrêtèrent leur piaillement. Il en fut de même pour les dragnards.

– Qui êtes-vous ? demanda le cavalier d'un ton autoritaire.

– Nous sommes les chevaliers du Dragon rouge, dit Nina avec fierté, nullement impressionnée par ce contingent.

Il la toisa d'un regard froid.

– Je ne m'adressais pas à vous, jeune dame, mais bien à cet homme, dit-il en pointant Andrick qui déglutit avec effort.

Nina grimaça avec un rictus de colère, ce qui fit sourire Arméranda. Elle aimait bien cette jeune fée pleine d'énergie et qui n'avait pas peur de montrer ses émotions.

– Alors ? poursuivit l'homme.

– Je confirme ce que ma sœur vient de vous dire, nous sommes les chevaliers du Dragon rouge et nous venons de Dorado.

– Ne connais pas !

– C'est un pays beaucoup plus à l'est, au-delà des Mjöllnirs, des Erdluitles et au-delà du Vouvret, une chaîne de montagnes.

– Ah ! je vois. Oui, il y a de cela bien des années, un Erdluitle nous avait visités et encore plus longtemps, des magiciens.

– Vous avez dit des magiciens ? demanda Nina.

Il la dévisagea. Cette fois-ci, son regard s'était adouci. Il sympathisa avec cette jeune fille aux jolies ailes et aux yeux si bleus comme ceux d'un groupe de sept enchanteurs qui les avaient visités, il y a de cela bien des années.

– De grands magiciens. Le roi et la reine en ont été charmés. Mais que venez-nous faire dans nos contrées ?

– Nous désirons rencontrer une porteuse de dragon du nom d'Adora.

La surprise se lisait sur sa figure. Peu d'étrangers connaissaient le prénom de la porteuse de dragon.

– Et pourquoi ?

– Parce qu'une de nos dames est une dragon-fée comme la noble Adora, expliqua Andrick.

Inféra sortit de sa cachette et s'avança de quelques pas. Elle s'inclina. Il admira sa carnation de pêche, son abondante chevelure rousse et ses yeux vert émeraude. Ce qui le déconcerta était le bijou qu'elle portait. Un bijou brisé comme celui de la princesse. La vue de cet objet le radoucit davantage.

– En effet, elle a les yeux de la même couleur que notre princesse Adora, souligna-t-il. Elle fait partie de notre nation, les Oratiens, la dynastie la plus puissante.

Ces mots laissèrent indifférents les visiteurs.

– Je m'appelle Lorin et je suis un patrouilleur de la garde royale. Voici mes compagnons d'armes et nous survolons les lieux pour en chasser tout intrus. Le pays comprend trois nations. Mon maître est le plus puissant de tous et le plus respecté.

Il se retint de leur dire que cette dame à la chevelure rousse intéresserait au plus haut point le roi et la princesse Adora.

Puisque les Elfes semblaient ne pas prendre en considération les dames, Arméranda donna un coup de coude à Andrick pour la poursuite des présentations. Étonné, il la fixa un moment et, à l'expression de son visage, il comprit.

– Je vous présente Arméranda, ma sœur Nina, Inféra et…

Il chercha Picou. Comme il ne le vit pas, il conclut qu'il se cachait. Il ajouta :

– Et nous sommes les chevaliers du Dragon rouge. Nous serons heureux de rencontrer votre souverain.

– Notre roi Glorfindel ne donne pas d'audience à des inconnus. Il vous faudra bâtir sa confiance avant qu'il ne daigne vous recevoir, dit-il d'un ton supérieur. Quoique, si vous savez faire de la magie, poursuivit-il d'un ton sarcastique, il pourra peut-être vous convier à sa table.

– Mais nous sommes des magiciens.

Il parut ahuri par cette déclaration de l'adolescent qu'il jugea effronté. D'après ses connaissances, la magie était une science demandant de longues heures de pratique et d'entraînement. Les magiciens qui maîtrisaient des tours de magie spectaculaires étaient la plupart dans la trentaine et même plus âgés, puisque les Elfes avaient une durée de vie presque immortelle.

– Dans ce cas, suivez-nous ! Je crois que vos animaux savent voler, lança-t-il d'un ton insolent.

– Oui, en effet, répondit Andrick avec une pointe d'agacement.

Il enfourcha l'oiseau transporteur et il fit signe à ses compagnons d'abaisser leur arme. En vol, leur interminable queue doublait leur taille et les faisait paraître trois fois plus grand qu'un dragnard tout en leur donnant une allure menaçante. Arméranda monta sur Horus et les trois autres se mirent à califourchon sur les dragnards, en prenant chacun un dragnardeau lourd et embarrassant.

Avec le poids des bagages, du cavalier et de leur progéniture, les dragnards partirent plus lentement que d'habitude. Ce qui fit rire Lorin. Il décocha un clin d'œil à un de ses compagnons et cria un grand ya suivi de yoyi yoyi. Les oiseaux firent un décolage foudroyant. Les dragnards, heureux de concourir contre de grosses bibittes à plumes, se déchaînèrent, oubliant leur charge. En quelques battements, ils les dépassèrent. Lorin, qui menait le groupe des patrouilleurs, ne s'avoua pas défait. Il claqua les rênes sur sa bête qui accéléra ses battements d'ailes devenus beaucoup trop épuisants. Elle donnait tout ce qu'elle pouvait. Elle commença à éprouver de l'essoufflement. Andrick regarda par-dessus son épaule et rit de voir Lorin rager. Même la fragile Inféra prit goût à cette course improvisée. Une déception lui commanda de ralentir. Il vit au loin Arméranda, incapable de les suivre. Horus n'atteignait pas les vitesses de ces oiseaux transporteurs et encore moins celles des dragnards. Il tapota Frivole et celui-ci réduisit sa vitesse. Lorin se rapprocha du jumeau et admit :

– BELLES BÊTES, ELLES ONT DE LA FORCE ! cria-t-il.

– De la vaillance, renchérit Andrick.

– Comment appelez-vous ces bêtes ?

– Des dragnards. Et les vôtres ?

– Des yokeurs.

Du haut des airs, la troupe vit un premier hameau, un regroupement de quelques maisons et bâtiments agricoles en bois et à la toiture de chaume sur quelques acres cultivés. Des lisières d'arbres délimitaient les terres. Un peu plus loin, des villages plus imposants apparurent. Les terres s'étendaient sur de plus grandes superficies en d'immenses quadrillages bien organisés. Des hommes, des femmes et des enfants entretenaient les lieux. Le dos courbé, ils étaient nombreux à ramasser des légumes et de petits fruits, à rouler le foin et à l'entasser sur des charrettes tirées par des chevaux robustes. De nombreux cours d'eau serpentaient les terres et permettaient une bonne irrigation de ce sol vallonné et fertile. Les Elfes poursuivirent leur route un peu plus à l'ouest. À certains endroits, des manoirs et des châteaux, entourés de quelques bâtiments et maisons de ferme, se dressaient dans un environnement partiellement déboisé. Pendant une bonne heure, ils survolèrent une forêt dense. Puis, des terres défrichées s'étalèrent à perte de vue. Des centaines d'habitations en pierre entouraient un mont imposant où se dressait un château grandiose. Les murs extérieurs étaient soutenus par une trentaine d'arcs-boutants de plusieurs étages se terminant par des piliers massifs. Cette dentelle de pierres supportait une luxuriante verdure qui descendait jusqu'au sol.

Ce château de forme rectangulaire était composé d'une cinquantaine de tourelles, chacune surplombée par un cône pointu s'élevant cinq mètres au-dessus de la toiture principale, comme le dos d'un hérisson. La pierre brune donnait l'impression que l'édifice était fait de pièces de bois s'encastrant les unes par-dessus les autres. De couleur vert forêt, les portes et la toiture s'harmonisaient avec les arbres environnants. Sur ce mont, un temple, neuf résidences et une écurie se juxtaposaient à ce palais somptueux, percé de longues fenêtres ogivales colorées, comme un joyau dans un écrin de verdure. Un rempart d'une hauteur de 20 mètres entourait ces bâtiments. Des gardes se promenaient au sommet de cette enceinte et accédaient à des tours dont une, la plus imposante, se trouvait à l'entrée.

Ils atterrirent sur un plateau à l'extérieur des remparts. Deux immenses portes étaient entrebâillées. Les patrouilleurs descendirent de leur monture et pénétrèrent dans l'enceinte. Les yokeurs, libérés de leur cavalier, s'envolèrent et se perchèrent au haut des arcs-boutants pour picorer dans la végétation. Le groupe de soldats fit signe à nos visiteurs de pénétrer dans ce lieu fortifié.

Une centaine de pages accoururent vers eux et firent la haie d'honneur, ce qui ne manqua pas de les embarrasser. Ils ne savaient pas trop comment réagir à cette réception. Ils s'inclinèrent à quelques reprises en marchant à l'intérieur de cette haie d'honneur. Derrière eux, Lorin et sa brigade les suivaient. Ils n'avaient d'autres choix que d'avancer vers une jolie jeune dame, vêtue d'une longue robe verte brodée d'or, se tenant au bout de l'allée.

Une fois arrivée près d'elle, la troupe s'arrêta. Lorin les devança et la jolie dame s'inclina avec grâce. Ce dernier s'approcha d'elle et lui chuchota à l'oreille. Elle parut surprise et zieuta le collier d'une des dames. Elle tressaillit. Elle reconnaissait ce bijou à une pointe. Puis, il fit un pas arrière et la jeune dame souleva sa robe avec élégance et s'inclina à nouveau.

— Bienvenue dans nos terres, dit-elle en s'adressant à la troupe.

CHAPITRE 10

L'EXPÉDITION

Malgré les bons soins de son médecin, depuis quelques jours, la santé de la commandeure s'était détériorée en raison d'une réaction allergique à un médicament. Elle pesta contre elle. Enfermée dans sa chambre, elle n'avait qu'une chose à faire : guérir. Le temps passait au compte-gouttes. Depuis peu, des antibiotiques d'une autre génération lui étaient administrés. Elle répondait bien à ce nouveau traitement. C'est avec joie que la commandeure Mélissa reçut les ingénieurs Noah, Mathis, Lucas et Anita en compagnie du capitaine, et c'est en pilant sur son orgueil qu'elle prit place dans cet horrible fauteuil roulant qu'Ian Prévenu poussait vers la salle de conférence.

— À voir votre mine réjouie, j'en conclus que l'expédition s'est bien passée, dit Mélissa.

— En effet, le temps particulièrement froid au sud du continent et les pluies fréquentes nous ont facilité la tâche. Les dragons de Korodo, engourdis par ce froid hâtif et par ces longues journées ennuagées, se sont montrés très coopératifs, badina Noah. Ils sont restés dans leur tanière presque toute la durée de notre séjour sur les îles du diable.

— Nous n'avons pas eu à utiliser les drogues paralysantes, ajouta Anita. Bien qu'ils soient beaucoup plus petits que les vrais dragons de Dorado, qu'ils ne volent pas et qu'ils ne crachent pas de feu, ils sont à craindre. En temps normal, ils sont rapides et une seule morsure suffit pour vous tuer.

— Je sais, s'impatienta Mélissa fatiguée de ce monologue et elle n'en revenait pas de leur fascination à en remettre. Parlez-moi des résultats de votre prospection.

— Nous avons été agréablement surpris, dit Lucas, de noter que l'actinide était si près du sol. Une mince couche de pierres volcaniques la recouvre. Quelques explosions de faibles amplitudes ont suffi à dégager cet écran protecteur rocheux. L'actinide était là, juste sous nos yeux. Nous avons fait plusieurs percées d'expertise pour constater une quantité importante de ce minerai. Comme prédit, c'est un gisement concentré qui est la continuité de la faille que nous exploitons. Étant donné la quantité et la proximité, on pourra en retirer des centaines de kilos en peu de jours.

Mélissa soupira de soulagement.

— Assez pour compléter notre mission ? demanda Ian.

— En effet, confirma Mathis, et en plus, elle est d'une pureté exceptionnelle.

— Quand pensez-vous pouvoir commencer l'extraction ? demanda Mélissa.

— Il faut agir vite en raison du froid sévère, des tempêtes de neige et du verglas toujours possibles, déclara Anita. Par bonheur, la température semble de notre côté selon nos données météorologiques. Aucune tempête n'est prévue d'ici une semaine ou deux. Si nous partons demain avec une équipe de 12 hommes et de 2 ou 3 gardes pour engourdir les Korodos, si nécessaire, nous croyons compléter notre mission en 3 jours et livrer la marchandise à l'usine d'empaquetage à ce moment-là.

— La mission sera complétée, savoura Mélissa. Enfin, le retour sur notre planète Errat.

En sortant de la salle de conférence, elle demanda un arrêt à Ian. Elle fut ravie de voir par les fenêtres Launa qui s'exerçait à voler avec Frenzo malgré un froid arctique. La bête avait perdu beaucoup de poids et s'efforçait de bien accomplir toutes les tâches que sa maîtresse lui ordonnait. Bien habillé, Frédéric s'était joint à eux. Il fit quelques boules de neige qu'il tira en direction de la jeune fée qui volait au-dessus de lui. Elle passa au ras du sol, et s'immobilisa. Elle permit à son copain d'enfourcher Frenzo qui s'envola dans les airs une bonne dizaine de minutes. Le dragnard le déposa au sol. De là, Frédéric roula une boule de neige qui grossit au fur et à mesure de son déplacement. Il s'arrêta lorsqu'il ne fut plus capable de la pousser. Sa copine fit de même et ils débutèrent la construction d'un bonhomme de neige. Ils riaient beaucoup et s'amusaient ferme. La commandeure se réjouit de la meilleure humeur de sa protégée.

Sa convalescence prolongée et l'avenir de Launa l'avaient beaucoup affectée. Maintenant que sa guérison était en bonne voie et que Launa avait recommencé à jouer avec son dragnard, elle se sentait soulagée de ces deux poids sur ses épaules.

– Enfin, elle a repris goût pour son Frenzo, dit Mélissa à Ian. Allez, conduisez-moi à mon appartement !

Il la poussa sans dire un mot.

– Et vous, capitaine, toujours aussi ambitieux ? demanda-t-elle pour briser le silence.

– Que voulez-vous insinuer, ma commandeure ?

– Je sais depuis longtemps que ma nomination à ce poste de commandement vous a terriblement choqué et qu'il vous arrive d'avoir quelques idées hum... de vengeance.

– Oui, ma commandeure, avoua-t-il avec une pointe de surprise et de regret. Je vous en veux terriblement. Il faut croire que la fédération a vu en vous des qualités exceptionnelles, plus exceptionnelles que pour moi.

— Je n'en sais rien, capitaine. Tout ce que je sais, c'est que par deux fois, je vous ai demandé de me laisser et vous avez résisté à votre soif de diriger. Vous m'avez sauvé la vie à deux reprises. J'ai bien l'intention de souligner votre courage à braver votre voix intérieure et à me tirer du danger. Vous serez honoré deux fois, une fois ici sur cette terre… hum… inhospitalière et une fois à notre retour sur notre terre natale.

Le capitaine Prévenu s'immobilisa et s'agenouilla.

— Je vous demande pardon.

— Quoi de plus normal que de vouloir briller au lieu d'être à l'ombre ? C'est un sentiment que j'ai longtemps partagé, vous savez. Allons ! Relevez-vous.

— Je vous en remercie, ma commandeure. Je vous ramène à votre chambre.

— Oui. Je suis encore trop fatiguée.

CHAPITRE II

LA PRINCESSE ADORA

Les visiteurs furent invités à relaxer et à se reposer dans une aire du château. Le seul inconvénient fut que les patrouilleurs s'emparèrent des dragnards et d'Horus pour les conduire loin d'eux, à l'écurie. Ils hésitèrent. Lorin déclara :

– Je me porte garant pour que mes hommes en prennent soin.

Ils acceptèrent et prirent leurs biens en empoignant les sacoches de leur monture. Avec un pincement au cœur, ils les laissèrent faire. Ils eurent l'impression de les abandonner. Lorin s'approcha d'Andrick et le rassura une seconde fois :

– Ce sont de magnifiques bêtes, vos dragnards. Ils seront traités avec respect et honneur.

Le jeune magicien le fixa droit dans les yeux. Celui-ci soutint son regard, ce qui convainquit Andrick de son honnêteté.

Tout en parcourant les nombreux corridors et les multiples escaliers, ils admirèrent l'architecture particulière de l'édifice dont les minces colonnes s'élevaient à une dizaine de mètres et s'entrelaçaient au plafond comme la canopée d'une forêt. La dame qui les accompagnait était de nature hospitalière et loquace. Ses longs cheveux châtains tombaient jusqu'au bas de son dos et, de temps en temps, elle repoussait vers l'arrière les mèches rebelles qui encadraient son visage allongé d'un teint vert bronzé. Ses oreilles pointues étaient ornées jusqu'au bout d'une dizaine de pendeloques. Ses ongles étaient vernis d'une couleur or. Tous ses gestes étaient calculés, à l'exception de sa manie de placer ses cheveux.

– Êtes-vous sur nos terres depuis longtemps, belles dames et gentilhomme ?

– Non, nous venons à peine d'arriver, répondit Nina qui marchait à côté d'elle.

– Vous avez bien choisi votre moment, dit-elle.

– Ah oui ? Pour quelle raison ? demanda Arméranda.

– L'hiver arrive à grands pas.

– Vous voulez dire dans quelques mois, dit Andrick.

Elle s'arrêta et le regarda d'un air mitigé.

– Vous ne le savez pas ?

– Quoi ? dirent en chœur les jumeaux.

– L'hiver sera ici dans quelques jours, plus précisément dans quatorze jours. Dès que la lune sera pleine, le froid s'abattra.

– Mais hier, nous avons mangé de belles girolles, des champignons d'été, dit Nina.

– Hé oui, après l'été, c'est l'hiver, dit-elle.

– Vous n'avez pas d'automne ? demanda Inféra.

– Automne ? Je ne connais pas. Vous verrez dans les jours qui viennent, l'air du matin sera plus frais et les arbres commenceront à perdre leurs feuilles. La végétation si verte tournera au rouge de façon très spectaculaire, sauf les conifères, bien sûr, qui eux restent verts. Et il y aura un grand bal et beaucoup de festivités. Nous adorons cette période si belle, juste avant que la neige ne recouvre les lieux. Voilà, poursuivit-elle essoufflée par cette longue ascension, vous êtes arrivés à destination. Relaxez-vous ! Nous viendrons vous chercher d'ici une heure ou deux.

La salle était située au quatrième niveau. C'était un salon comportant une table basse, des fauteuils et un plateau roulant chargé de biscuits et de breuvages chauds. Le long d'un mur, des paravents cachaient des portes de placard. Il y avait aussi trois longs sofas où on pouvait s'allonger et s'assoupir. Andrick fut captivé par les tableaux accrochés aux murs qui montraient de magnifiques paysages et une partie de la diversité de la faune du pays. Malgré que les fenêtres soient fermées, un éclairage suffisant pénétrait dans la pièce. Nina croqua dans un biscuit encore tout chaud et dit :

— Ils nous traitent aux petits oignons. Comme pour nos dragnards, je l'espère.

– Ce beau biscuit que tu manges pourrait être empoisonné, lança Picou en sortant de sa cachette.

À cette remarque, Nina cracha le tout sur les carreaux en terre cuite.

– Je ne pense pas, commenta Arméranda. J'ai cru remarquer un grand intérêt pour Inféra.

– C'est sûr. Par les trous de couture de la sacoche, j'ai bien vu comment ce Lorin fixait le pendentif de ma compagne.

– Pour ça, oui, dit Andrick.

– Pourquoi sommes-nous ici ? demanda Arméranda. Je ne suis pas habituée à l'oisiveté et à me retrouver loin d'Horus.

– Moi aussi, de répondre Nina. Je m'ennuie d'Orphée.

– Moi au contraire, je me plais dans des lieux fermés et protégés. Un arrêt de quelques jours ne me fera pas de mal, affirma la dragon-fée en s'allongeant sur un des sofas. Ces voyages m'éreintent.

– C'est vrai, tu as vécu plus de 150 ans seule dans ton repaire, dit Andrick.

– Pas seule, j'étais là pour la désennuyer et la protéger ! hurla Picou. Et partout où nous allons, il faut que je me cache. Je crains les chats, les renards, les humains et tous les êtres qui détestent ou qui ont peur des rats. Ce n'est pas une vie !

– C'est vrai, nous sommes là à nous plaindre, dit Arméranda. On pourrait essayer de passer le temps d'une façon plus utile plutôt que de se disputer. Nous avons peu de renseignements sur nos hôtes. J'ai cru discerner que les femmes ici jouent un rôle très effacé et que la magie semble plaire au roi.

– Que les constructions sortent de l'ordinaire, dit Picou. Je n'ai jamais vu des colonnes si minces supporter des plafonds si hauts.

– Et le nombre de fenêtres et cet assemblage de verres colorés pour créer une image, poursuivit Nina.

– Et que dire des tissus des pages, de la dame et des patrouilleurs. Des tissus d'une finesse et d'une coloration si intense, dit Inféra.

– J'ai remarqué que leurs épées étaient minces et longues. Ils connaissent l'art de l'acier trempé comme notre peuple, affirma Arméranda.

– C'est vrai. Ce peuple a un niveau de culture supérieur à nous, constata Picou.

Attirée par les vitraux représentant des scènes de vie, des personnages et des motifs géométriques, Inféra se releva de son siège confortable pour ouvrir une fenêtre à deux battants. Elle s'assit sur le seuil et contempla la vision paradisiaque de cette cour intérieure. Tout en bas, un jardin s'étalait. Des sentiers s'entrelaçaient et les arbustes étaient bien taillés. Sur un des murs, une source d'eau s'écoulait dans un bassin. Des oiseaux aux coloris vifs se rafraîchissaient.

— Un jardin organisé. Je n'ai jamais vu ça. C'est si beau ! s'exclama-t-elle. Venez voir !

Andrick ouvrit un autre battant et tous s'accoudèrent sur le seuil. Ils admirèrent ces lieux si bien aménagés. Un homme et une femme sortirent par les portes situées trois étages plus bas. Ils se tenaient par la main. Il l'accompagna jusqu'à la source. Il colla ses deux mains et forma une coupelle. Il récolta de l'eau et la dame aux longs cheveux blonds se pencha pour boire à même la coupe improvisée. Le médaillon pendu à son cou brilla sous un rayon de soleil. Outre ce bijou, un diadème d'une grande finesse orné d'une émeraude retenait ses cheveux.

– C'est Adora, chuchota Inféra. Regardez ! C'est le même médaillon que le mien.

– Elle est plus belle que décrite par Éridas, dit Andrick.

– Comment peux-tu dire qu'elle est plus belle que décrite alors qu'il a dit qu'elle était la créature la plus belle qu'il n'ait jamais vu de sa vie ? Sa femme Médina a raison, il exagère ! hurla Inféra.

Les deux amoureux se relevèrent et fixèrent la fenêtre d'où venait cet éclat de voix. Nina les salua et Andrick ferma un des battants.

– Inféra, tu ne devrais pas t'énerver ainsi.

– Ce n'était qu'une façon de parler, dit Picou pour l'apaiser. Elle est très belle et toi, tu es encore plus belle.

– C'est vrai, ajouta Andrick d'un ton sincère.

La dragon-fée appliqua ses deux mains sur son ventre et le fixa.

– Oh ! oh ! C'est trop tard. Je sens le dragon grandir en moi, s'alarma Inféra.

– Pas ici, Inféra, il manque de l'espace. Respire par le nez, ordonna Picou. Allez ! Calme-toi et assieds-toi sur ce sofa.

— J'essaie, mais je crois qu'il va sortir, conclut-elle en haletant.

Le rat leva la tête vers Andrick et Nina. Les jumeaux comprirent. Ils prirent leur baguette pour jeter un sort de l'endormissement. Inféra tomba endormie sur un sofa tout près d'elle.

— Il faudra bien qu'elle cesse cette jalousie maladive, dit Arméranda après avoir constaté qu'elle dormait.

— Qu'est-ce qu'on peut y faire ? C'est un peu de ma faute, je n'arrêtais pas de lui dire comment elle est belle, déplora Picou. Mais c'est vrai, poursuivit-il. Elle est la plus jolie fée que je connaisse et moi, un vilain rat.

Une heure plus tard, Inféra sortit de son sommeil. Elle avait une mine épanouie. Au même moment, on cogna à la porte. Picou se réfugia dans une sacoche et y resta. La même dame qui les avait conduits jusque-là les invita à dîner.

— Étant donné que le roi et la reine ne sont pas au palais, car ils sont partis en voyage, ce sera le seigneur Waldo, le prétendant de notre princesse Adora, et elle-même qui vous recevront à la table de la petite cour.

— Si vous permettez et si ce n'est pas indiscret, gentille dame, quelle est la raison de ce voyage ? demanda Andrick.

— Ce n'est pas un secret d'état, vous savez, mais la famille royale visite le royaume avant l'hiver pour profiter des derniers beaux jours et pour connaître le niveau de ses richesses en vivres, ainsi que la condition de son peuple.

— Je vois, dit Andrick. Le roi et la reine sont très attentifs aux besoins de leurs sujets.

— En quelque sorte, affirma la dame.

Elle se dirigea derrière les paravents et ouvrit les placards qui se trouvaient au fond de la salle.

— Pour vous, jeunes dames, vous trouverez dans ce placard des tenues de soirée. Nous avons un protocole. Les dames doivent porter de longues robes, dit-elle en lorgnant les bénards de ces dames.

Les trois demoiselles découvrirent de superbes tenues dans des teintes de jaune et de vert printanier. Le tissu était d'une légèreté surprenante et glissait entre les doigts.

— Et pour les hommes ?

– Vous êtes parfait, quoique votre tunique semble défraîchie.

– J'en ai une autre, la prévint-il.

Les filles collèrent les vêtements sur elles.

– Ce tissu est vraiment spécial, dit Nina en soulevant une robe aux manches longues et à la jupe ample et évasée.

– C'est de la soie, répondit la dame.

– De la soie ! s'exclama Inféra. Mais elle est d'une finesse plus manifeste que par chez nous.

– Nous attachons une grande importance à cette matière et à la production de nos cocons et des chenilles. Les fileurs la manient avec dextérité. Vous pourriez visiter les serres et l'atelier de confection, si vous le voulez.

– J'en serais honorée, annonça Inféra, bien qu'elle ne soit pas une fanatique des vers.

– Je vous laisse, fit-elle en faisant une petite génuflexion et un salut de la tête.

Les trois demoiselles quittèrent une à une leur habit de voyage pour revêtir les magnifiques tenues de soirée derrière un paravent. Andrick se contenta de se changer en enfilant une tunique plus ample en lin blanc.

La table de la petite cour n'avait de petit que l'épithète. La salle était immense et une longue table pouvait accueillir une trentaine de convives. Elle débordait de nourriture de toutes sortes allant de fromages, d'omelettes, à des ragoûts de champignons forestiers, des plateaux de fruits et de légumes variés grillés. Quelques musiciens étaient installés sur une estrade et jouaient de la musique douce. Le groupe était formé de joueurs de citoles, de musettes et d'une grande trompette marine mesurant deux mètres de haut. Une vingtaine d'elfes, dans des tenues élégantes aux tons bleus et verts, les attendaient debout près de la table. Ils avaient tous l'air d'avoir entre 20 et 30 ans. Les hommes portaient de lourds colliers en or tandis que les femmes arboraient une mince chaînette au cou et de nombreux pendentifs aux oreilles.

Malgré la clarté de la fin de journée, des centaines de bougies étaient allumées. Seuls les bougies, les lis de calla et la tunique d'Andrick étaient blancs. Plusieurs parmi la gent féminine cachaient dans leurs manches de petits chiens, beaucoup plus petits que le plus petit des dragnards. Une des dames en avait un de taille si menue qu'il aurait pu tenir dans une tasse de thé.

La troupe des chevaliers du Dragon rouge s'approcha d'eux avec maladresse, ne sachant trop s'il fallait s'incliner ou tendre le bras. Adora fut la première à remarquer leurs gestes cafouilleurs et elle vint à leur aide. Elle portait son diadème et un seul pendentif en forme de larme à chacune de ses oreilles. Elle se déplaça et se tint à un mètre d'eux. Elle pinça sa robe du côté droit et la souleva de quelques centimètres. Elle fit une génuflexion, inclina la tête et se releva. Elle leur sourit. Tous l'imitèrent à l'exception d'Andrick qui avait une tunique s'arrêtant aux hanches. Il fit une génuflexion sans trop savoir quoi faire de ses mains.

— Bienvenue, gentilshommes et nobles dames. Je me présente, Adora.

Elle avait l'air de n'avoir que 20 ans et pourtant, si elle portait un dragon, elle devait être aussi vieille qu'Inféra qui paraissait encore plus jeune qu'elle. La jolie hôtesse se retourna vers l'homme qui se tenait près d'elle. Il s'approcha. Ses longs cheveux châtains étaient retenus par un ruban s'harmonisant avec son pourpoint vert olive. Il mit sa main gauche sur son cœur, avança le pied droit et s'inclina à son tour. « Ah ! C'est comme ça que les hommes saluent », pensa le jumeau. Il imita son geste tandis que les demoiselles refirent le même geste de génuflexion et de salutation de la tête. Andrick estima son âge à 25 ans.

— Je me présente, Waldo, Oratien et seigneur des Elfes noirs.

— Et moi, je me présente, Andrick Dagibold, chevalier de Dorado, en s'inclinant une autre fois.

Puis, il présenta les autres membres de la chevalerie du Dragon rouge. Waldo fit de même et présenta les Elfes présents autour de la table. Une dame, qui portait un plateau chargé de coupes de vin et d'autres breuvages sans alcool, vint près d'eux et la musique recommença. Les Elfes parlèrent entre eux en jetant de temps en temps un regard dédaigneux et la troupe se trouva vite à l'écart. De temps en temps, un luthiste chantait des ballades en se frayant un chemin dans cette foule et les Elfes redirigeaient leur regard vers ce musicien.

Waldo et Adora passèrent beaucoup de temps avec les leurs et, de temps en temps, ils prièrent la troupe de se joindre à eux. Les chevaliers firent de leur mieux pour s'intégrer à ce peuple concentré à discuter de nourriture, de vêtements, d'artistes, de peintures et d'expériences vécues lors de leurs promenades en forêt. Les chevaliers du Dragon rouge apprécièrent la nourriture et furent heureux que tout fût fini deux heures plus tard.

— Et si nous allions visiter le temple ? dit Waldo en s'adressant à Andrick.

— Seulement moi ?

— Non, vous êtes tous invités.

« C'est bien du moins, pensa Nina. Je commence à en avoir assez de leur singerie de toujours nous ignorer, nous, les femmes. »

— Entièrement d'accord avec toi, chuchota Arméranda. Patience !

— Tu lis dans mes pensées, lâcha Nina.

— À l'occasion, murmura la jeune cavalière. Le principal, c'est que nous avons fait bonne impression. Nous sommes des étrangers et, quoiqu'on fasse, ce peuple se méfiera de nous.

CHAPITRE 12

UN MONDE MERVEILLEUX

Launa rentra dans l'étable en compagnie de Frédéric, son cadet de trois ans. Elle se rendit compte qu'elle n'avait pas eu autant de plaisir à partager avec ce jeune compagnon depuis un bon moment. Tous les deux brossaient Frenzo et plaisantaient allégrement. Pourtant, elle avait un frère du même âge, Éloy, et jamais il ne lui serait venu à l'idée de jouer avec lui.

À Dorado, étant la princesse chérie du roi, son ambition se limitait à être la meilleure lors des compétitions de dragnards pour plaire à tout prix à son père, plutôt que d'être gentille avec son petit frère. Le pauvre était le souffre-douleur de la famille. Personne ne lui parlait et elle comprit ses raisons de jouer au clown, d'attirer l'attention en s'emparant de Bichou moult fois, le dragnard préféré de sa grande sœur Naura, qui est aussi petit qu'un chat. Il y avait aussi Wilbras VI, le successeur éventuel de son père, cinq ans plus vieux qu'elle. Les filles ne jouaient pas un rôle bien grand dans cette société patriarcale. Tant qu'elle était jeune, elle faisait ce qu'elle voulait. Lorsque ses 18 ans sonneront, il en ira autrement. Elle devra suivre des leçons d'étiquette et se marier à un homme plaisant davantage à ses parents qu'à elle-même. Elle échappa une larme.

— Qu'est-ce que tu as ? demanda Frédéric. Est-ce que je t'ai dit quelque chose de vilain ?

— Pas du tout ! Je pensais à mon père et aux traditions de mon pays. Je pense à ta mère si sûre d'elle, responsable d'une mission. Chez moi, les femmes n'ont pas une carrière si merveilleuse.

— Merveilleuse !? En tout cas, lorsque tes ailes ont poussé si soudainement, j'ai cru que tu avais attrapé un de ces virus qui tue.

Launa rit et servit à Frenzo une belle botte de foin pas trop séchée.

– Par bonheur, poursuivit-il en rougissant, ces magnifiques ailes se sont dévoilées comme un papillon naissant, comme celles d'une fée merveilleuse.

– Oh ! Que de la belle poésie ! Tu es charmant pour ton âge.

Il rougit davantage, ce qui ne l'empêcha pas d'ajouter :

– Je n'ai jamais vu voler une fée. Peux-tu voler pour moi ?

– Je n'en ai pas eu l'occasion et puis, ce n'est pas voler qui est le plus important. Les fées doivent pratiquer un art, la magie.

– Comme faire apparaître des objets ?

– Oui et bien plus.

– Comme quoi ?

– Arrêter le temps, modifier la couleur du feuillage, et bien d'autres choses.

Soudain, Frédéric se dressa sur la pointe des pieds.

– Pourrais-tu me faire grandir ?

– Probablement.

– Probablement !?

– L'autre jour, j'ai essayé de transformer mon verre d'eau en chocolat chaud. Je n'ai réussi qu'à obtenir un crapaud. Je n'ai aucune idée comment la magie fonctionne. Alors, blagua-t-elle, si tu veux, à ma grande joie, servir de cobaye, je peux te lancer un sortilège. Je crois que tes chances d'être changé en pieuvre plutôt que de grandir sont plus réalistes.

– Oh! Dans ce cas, je ne veux pas être ton cobaye, je crois que j'aimerais mieux grandir à mon rythme.

Elle mit une chaude couverture de laine sur Frenzo et ramassa quelques grains d'orge et d'avoine qu'elle distribua avec abondance aux poules en liberté dans un enclos plus loin.

– Je crois que ma place est auprès des miens. Lorsque ta mère a parlé de la fin de la mission et de son retour dans son pays, je me voyais avec vous, mais... en y pensant... mon dragnard, mes ailes... je serais un peu étrange parmi les tiens. Alors, j'ai cheminé et je crois que le retour vers les miens serait la meilleure chose.

– Je suis tellement d'accord avec toi. Ton pays est merveilleux. Lorsque tu as parlé d'un échange, ça m'a plu. Tes forêts sont magnifiques et juste l'idée de pouvoir caresser ce dragon, que j'ai vu une seule fois, me rend fou de jalousie.

– Hum... caresser, je crois que le terme est inapproprié, se moqua Launa en lui saisissant une main et en prenant une voix grave. Les écailles de cette adorable bête ont une allure acérée et coupante. Tes merveilleuses menottes si douces et si tendres auraient été sectionnées en le cajolant. En peu de temps, tout ton sang se serait répandu hors de toi, plus une seule petite goutte dans ton corps. Tu serais là, près de ton dragon, étendu au sol, comme une loque sans vie.

Il cria et essaya de libérer sa main. Rien à faire. Elle la retenait fermement. Pour s'affranchir de sa poigne, il ramassa des grains au sol et les lança à sa figure. Launa desserra son étreinte et toussa quelques coups. Il courut vers la sortie. Elle partit derrière lui dans le but de lui botter le cul gentiment.

– Attends que je t'attrape ! dit-elle.

CHAPITRE 13

LE RETOUR DU ROI

Comme convenu, les visiteurs parcoururent le temple, un édifice à base hexagonale et s'élevant au-delà de plus de 10 mètres. Ils entrebâillèrent des portes démesurées. D'ailleurs, Nina ne put s'empêcher de faire un commentaire désobligeant indiquant que jamais un Elfe ne deviendrait aussi grand. Une fois à l'intérieur, la quantité et la qualité des vitraux les impressionnèrent. Ils admirèrent un vitrail représentant un dragon vert accroupi dans une position latérale et solennelle. Il était situé à l'arrière de la salle, l'endroit le plus en vue. À part quelques chaises, l'espace était vide.

— C'est ici que le dragon vert s'épanouit.

— S'épanouit! s'étonna Inféra.

— Oui, chère dame, nous portons une attention et une dévotion à notre dragon. C'est un dragon bienfaiteur. Lorsque nous sommes infestés de moustiques dans nos terres et d'autres bestioles, nous lui commandons de mettre le feu à ces boisés contaminés par ces insectes. L'année d'après, des morilles et des bleuets poussent et ensuite, nous cultivons ces terres brûlées. Les terres viennent à s'affaiblir. Nous les délaissons. Les arbres poussent sur les sols cultivés et deviennent une forêt. Les moustiques se multiplient. Draha est appelée à brûler la forêt infectée. Nous alternons ainsi tous les 25 ans.

— Ingénieux, admit Arméranda.

Inféra devint toute rouge.

— Comment ça? Vous ne le cachez pas. Et en plus, il a un nom, lui!

— Pourquoi cacher Draha? dit Adora surprise par le ton de sa visiteuse. Puisque c'est une bonne dragonne et qu'elle effectue des tâches nécessaires pour le bien de tous.

Ces paroles furent loin d'apaiser Inféra. Elle trépigna de rage. Waldo et Adora se figèrent. Ce comportement non familier les surprit et ils ne savaient pas comment réagir.

— Oh ! oh ! se dit Andrick. Je crois que vous allez bientôt faire connaissance avec notre dragon.

La métamorphose débuta. En peu de temps, le dragon rouge se manifesta après des cris de souffrance de la dragon-fée. Les hôtes n'osèrent regarder la transformation. Lorsque le silence se fit, ils furent à leur tour impressionnés par cette bête majestueuse. Réalisant qu'il était enfermé, le dragon rouge commença à piétiner et à bouger sa queue dans tous les sens, frappant les chaises et les colonnes. Bien que le temple fût d'une construction solide, tout tremblait et risquait de s'effondrer.

— Tout doux, dit Waldo qui comprenait et parlait le langage des dragons-fées. Nous ne te voulons pas de mal.

— Pas mal, siffla le magicien plein d'admiration, tu connais cette langue tout comme nous.

— Que fais-tu Andrick ? réprimanda Nina. Il faut calmer le dragon et le sortir d'ici. N'as-tu pas quelque chose de plus intelligent à dire ?

La seule à ne pas comprendre ce langage fut Arméranda. Voyant l'urgence, Adora s'agenouilla et s'accroupit sur ses talons. Elle chantonna en langage de dragons-fées :

– Draha, ma belle, ton temps est venu de prendre place ici dans ton temple dédié. J'implore ta venue, belle et bienfaitrice Draha.

Le dragon rouge, surpris par cette chanson, cessa ses trépignements et se laissa bercer par cette douce musique. Adora se transforma en dragon. Le processus était aisé et sans souffrance. Le dragon rouge se dressa sur ses pattes arrière. Il fixa cette magnifique bête aux yeux d'émeraude et aux écailles vert doré. L'espace intérieur devint trop restreint. Waldo ouvrit les portes et les pria de sortir. Nina comprit que les dimensions de l'ouverture étaient adaptées à celles d'un dragon.

À l'extérieur, les deux dragons firent connaissance. Ils échangèrent sur différents points de vue.

– Tu vois, dit le dragon vert, tout est une question de comment on voit les choses. Dès les premiers jours dans le ventre de ma porteuse, j'étais choquée et je lui en voulais, mais j'ai compris qu'un jour nous serions libérés de cette entrave.

– Comment as-tu fait pour ne pas exploser de rage à chaque fois que tu étais libéré de ce corps embarrassant de la porteuse ?

– C'est simple. J'ai compris que la vie serait plus facile en me faisant aimer auprès de ce peuple et de la porteuse et aussi en étant utile.

– À Dorado, j'étais vu comme un être à cacher. D'ailleurs, mon compagnon a été changé en rat pour être sûr qu'il ne me quitte pas.

– En rat, dis-tu, s'écria Waldo qui se joignit à la conversation en caressant d'une main le cou du dragon rouge. Quelle horreur !

– Tu oublies que tu étais cachée, dit Andrick, parce qu'on craignait le retour des envahisseurs, ceux-là mêmes qui ont détruit toutes les races de dragons. Le contexte est différent. On te cachait pour te protéger et aussi parce qu'on voulait faire croire au monde que les dragons étaient disparus. Moi-même, j'ai cru que les dragons étaient une invention des magiciens pour se rendre intéressants. On ne craint pas ce qu'on ignore.

— Ça me console, mais ça ne me réjouit pas, dit le dragon rouge.

— Apprends à te maîtriser et tu verras, la vie sera plus facile pour toi et pour la porteuse. Ne la fais pas souffrir ainsi quand tu sors de son corps. Laisse les fluides passer sans résistance au travers des pores de sa peau. Tu verras, tu te sentiras mieux et surtout aimé.

— J'essayerai. Mais lorsqu'elle se fâche, je ressens une profonde rage et le besoin de sortir au plus vite. La manière n'a pas d'importance.

— Alors, c'est ta colère qu'il faudra que tu contrôles et tu devras apprendre à t'expulser en douceur en respirant régulièrement.

Ils continuèrent à parler de respiration et de maîtrise de soi. Les jumeaux et Arméranda admirèrent ce dragon aux écailles de feu. Pour une fois, il était calme et ils purent le regarder de long en large. Il était plus robuste que Draha. Sa queue était plus longue et les couleurs de sa robe chatoyaient davantage. Ses pattes étaient trapues et puissantes. C'était un dragon mâle puissant tandis que le vert, de taille plus fine, était une femelle. Pendant un court instant, ils se sentirent et se caressèrent en se frottant la tête l'un contre l'autre.

— On pourrait te baptiser, dit Nina.

— Ah, dit le dragon rouge, j'aimerais bien ça, un nom à moi, à moi tout seul, dit-il en sautillant et en créant un nuage de poussière.

— Ok, ok, dit-elle en avalant de la terre et en toussant, calme-toi. J'ai pensé à Spino, comme les spinelles, des rubis plus pâles.

— J'aime, Spino, oui, j'aime, sautilla-t-il à nouveau.

Une nuée de poussière se forma. Il s'arrêta net en les entendant toussoter. Lorsque le nuage se dissipa, tout le monde applaudit et il fut heureux.

— Qu'est-ce que tu dirais, Spino, que nous volions une heure ou deux au-dessus de mon pays ? demanda Draha.

— Est-ce que je peux ? demanda le dragon rouge en regardant tour à tour ses compagnons.

— Bien sûr, répondit Nina, mais reviens vite. On ne veut pas s'inquiéter.

Ils survolèrent côte à côte. Jamais le dragon rouge n'avait volé aussi longtemps et aussi loin. Il comprit que sa liberté s'en porterait mieux s'il apprivoisait mieux sa porteuse. Il se sentait libre et respecté au lieu d'être craint. Les villageois furent ébahis lorsqu'ils virent deux dragons survoler le territoire. Ils enlevèrent leur couvre-chef et les saluèrent au passage. Cette balade des deux dragons fut aussi remarquée par le roi. En colère, il mit un terme à son voyage de reconnaissance.

Le lendemain après-midi, les trompettes résonnèrent. Dans le ciel, cinq patrouilleurs à dos de yokeurs précédaient le cortège. Le roi, la reine, la princesse aînée Rivala et tout l'équipage étaient de retour à cheval. Dès qu'il mit pied à terre, il fit connaître sa mauvaise humeur et sacra contre les pages qui lui faisaient une haie d'honneur. La dame qui l'accueillait fut elle aussi aspergée d'insultes. Il alla droit au but et demanda qu'on amène à sa salle d'audience Waldo. Effrayée par sa colère, elle trottina le plus vite possible pour aller le chercher, embarrassée par sa longue robe. Elle le trouva au quatrième étage en compagnie des visiteurs.

– Qu'est-ce qui se passe? demanda Waldo en la voyant toute rouge et transpirante.

– Sire, on vous réclame à la cour, dit la dame tout essoufflée. Le roi est dans une telle colère que je vous prie, mon seigneur, d'être tout doux avec notre souverain.

Waldo était d'un naturel calme. Pour la première fois, il eut un pincement au cœur. Il avait gravi tous les échelons, un à un, en ne faisant aucune bévue. Du petit page, il était devenu patrouilleur, ensuite chevalier. Le roi l'avait sacré seigneur, le plus haut titre de la hiérarchie royale, ce qui lui avait permis de fréquenter sa fille cadette, Adora.

Quant à elle et bien malgré elle, Adora est devenue une déesse lorsqu'un groupe de magiciens et de fées sont passés sur le territoire, il y a de cela 150 ans. Le roi avait été impressionné par leur savoir et leur tour de magie. Lorsque ceux-ci avaient expliqué leur mission visant la sauvegarde de dragons, le roi s'était fait sceptique. Sans trop chercher, il avait désigné la plus jeune de ses filles comme la future porteuse de dragon. Les visiteurs n'avaient émis aucune objection. Elle était jolie et jeune. En effet, comme les magiciens, les Elfes vivent très longtemps.

Ils grandissent comme les humains jusqu'à l'âge de 20 ans et puis, les phénomènes physiologiques de vieillissement ralentissent à un point tel qu'on les considère comme des immortels. Étant donné leur longue vie, ils ont peu d'enfants, alors que les humains qui travaillent dans les champs vivent, eux, tout au plus 50 ans et ont de grosses familles. Certains atteignent quelquefois 100 ans, mais cela est rare et est vu comme un signe de sagesse.

Un des magiciens avait fait choisir un œuf à la jeune fille. Adora avait choisi celui qui lui semblait le plus beau, un aux couleurs ocre et vert symbolisant la terre et la forêt. Un des magiciens avait prononcé une longue incantation et l'œuf avait disparu. Ensuite, il les avait avisé que d'autres magiciens repasseraient chez eux dans plusieurs années et qu'il faudrait que le peuple prenne bien soin de la jeune demoiselle. Un dragon grandirait en elle et elle aurait besoin d'espace et d'un abri. Le roi heureux et dépassé par les événements s'était écrié :

— Nous allons faire construire un temple où elle sera respectée et aimée.

Du jour au lendemain, on avait entamé la construction du temple. Ce n'est qu'après deux décennies que le temple fut achevé, mais le roi le regretta et considéra cela comme sa première bévue. Adora était devenue plus populaire et aimée que le roi et le reste de sa famille. Rivala avait souffert d'être toujours à l'ombre de cette déesse. Deuxième bévue, Waldo, son homme de confiance, avait été nommé seigneur du royaume des Elfes noirs. Il avait vaillamment défendu le royaume comme chevalier lors d'une guerre sans merci contre les Squamates, des Elfes rebelles. Ces derniers avaient été refoulés au-delà des frontières au nord du pays. Les Elfes noirs furent honorés de la présence d'un seigneur en plus d'être reconnus comme nation. Le roi, désirant qu'il tombe amoureux de sa fille aînée, avait été renversé lorsqu'il avait découvert l'amour de ce jeune seigneur pour Adora. Il n'avait pu les empêcher de s'aimer, car le peuple saluait cet amour avec dignité.

Plus encore, son fils Galdor était parti à l'aventure. La venue de ces magiciens arrivés d'ailleurs l'avait séduit. Il avait désiré parcourir le monde. Le souverain ignorait toujours s'il était vivant ou mort. Depuis près de 100 ans qu'il n'avait pas eu de ses nouvelles.

Son cœur l'attendait. Chaque jour, il espérait voir son yokeur le déposer à ses pieds.

Hélas ! Ce jour semblait lointain, si lointain qu'il désespérait. Une amertume grandissait en lui et noircissait ses pensées. À chaque matin et à chacun de ses réveils, cette tristesse lui montait à la gorge. Il combattait avec ténacité cet ennemi invisible. Même la nuit, il ne réussissait pas à s'en débarrasser. Aucun sommeil, bien que réparateur à l'occasion, ne parvenait à effacer l'absence de Galdor.

Cet après-midi, la vue d'un deuxième dragon dans le ciel l'avait provoqué. Le peuple vénérait un dragon, et c'était bien ainsi, mais deux dragons sur un même territoire, il y en avait un de trop. La présence de ces deux bêtes majestueuses risquait de diminuer son pouvoir sur ce peuple d'humains qui se reproduisait comme des rats. Oui, le roi si bon et si aimable était devenu, au cours des ans, aigri et désillusionné. À ses yeux, il ne lui restait qu'une seule enfant, Rivala. Galdor était disparu et Adora n'était pas une Elfe, mais bien une figure légendaire, un dragon.

Waldo venait à peine de s'agenouiller en rentrant dans la salle que le roi s'écria :

– Vous me cachez la vérité, il existe un châtiment effroyable pour les indignes comme vous et je vous saurais gré d'avouer l'intégralité de la vérité, sinon des souffrances intolérables vous seront infligées. Si le chagrin ne vient pas à bout de vous, alors, vous souffrirez de longues années.

Waldo se releva prestement.

– J'ignore le sujet de votre interrogation, Votre Majesté Impériale ?

– Vous l'ignorez ? ironisa le roi.

– Je vous l'assure, Votre Majesté, fit-il en s'inclinant.

Le roi se leva et s'approcha de lui.

– Vous m'avez caché l'existence d'un autre dragon.

– D'un autre dragon ?

Le souverain s'empourpra.

– Hier, j'ai vu dans le ciel, DEUX DRAGONS ! cria-t-il.

– En effet, il y a un deuxième dragon.

– C'EST CE QUE JE VIENS DE DIRE !

– Oui, mon roi... Pendant votre absence, hum... nous avons reçu des visiteurs de Dorado et parmi eux, il y avait une porteuse comme Adora, et son dragon s'est manifesté.

– EH BIEN, C'EST COMME ÇA QUE VOUS MONTREZ VOTRE CONFIANCE À VOTRE ROI ? IL VOUS FALLAIT DÉPÊCHER QUELQU'UN POUR M'EN AVISER ! POURQUOI N'AVEZ-VOUS RIEN FAIT ? COMPLOTEZ-VOUS UNE PRISE DE POUVOIR AVEC DEUX DRAGONS ?

– Loin de moi cette pensée. Je vous honore mon roi. Grâce à vous, mon souverain, je suis un des seigneurs les plus puissants.

– PLUS MAINTENANT, JE VOUS RETIRE CE TITRE POUR AVOIR DÉSHONORÉ VOTRE ROI ! ALLEZ ! QUE JE NE VOUS REVOIE PLUS !

Il ne lui laissa pas le temps de lui fournir une autre explication. Perplexe, Waldo quitta la salle d'audience sans saisir l'attitude du souverain. En quoi deux dragons pouvaient le choquer au point de lui enlever son titre ? Il comprit qu'il ne pourrait plus fréquenter sa bien-aimée, la fille du roi.

CHAPITRE 14

LES PORTEUSES

Inféra avait repris sa forme et savoura cette joie d'apprendre à mieux contrôler son dragon. Toutes les deux étaient dans l'appartement du quatrième étage assises côte à côte, pendant que les autres demoiselles fouillaient dans le placard et qu'Andrick examinait les tableaux accrochés aux murs. Inféra montra le livre que ses parents avaient rédigé à sa naissance avant leur départ. Des dessins aux crayons de bois illustraient ses premiers pas et ses premiers essais de vol.

— Tu avais des ailes ? s'informa Adora.

— Oui, des ailes roses.

— Et là, qu'est-ce que c'est?

— Une mèche de mes cheveux à la naissance et là, les empreintes de mes mains et de mes pieds.

— Elles sont si minuscules.

— Je sais. Je fus la fée la plus petite du royaume et la plus fragile à ce que je sache.

Adora tourna la dernière page.

— Hum… murmura Inféra. Est-ce qu'il t'arrive d'avoir… hum… la sensation que ton dragon pourrait ne plus réintégrer ton corps et alors…

Adora trembla et faillit perdre le livre.

— Chut! susurra-t-elle. Je ne veux alarmer personne. Je comprends ce que tu me dis. Depuis un mois, je la sens nerveuse et… elle commence à m'inquiéter. C'est pourquoi ta venue arrive à point. Je crois que nos dragons viennent d'atteindre leur limite de temps et désirent vivre de leurs propres ailes, si je peux m'exprimer ainsi.

— Oh! pleurnicha Inféra, c'est exactement ce que je ressens. Est-ce que tu sais la signification du bijou que tu portes?

— Plus ou moins. Je me souviens qu'un des magiciens m'a dit de ne pas le perdre et de toujours le garder sur moi.

— Il fait partie d'un seul et unique collier, un pentacle. Trois autres porteurs ont les trois autres pointes. Dès que les pointes se réuniront, le pentacle se reformera et les dragons se libéreront.

— Alors, nous n'avons plus vraiment le choix, il faut retrouver les trois autres dragons. Finie ma petite vie tranquille, ma vie de château !

— Hélas !

— Il ne faudra pas raconter nos inquiétudes à qui que ce soit, poursuivit Adora. Moins ils en savent, mieux ce sera, chère amie.

Elle mit sa main sur celle de sa nouvelle compagne. Elles partageront un dur secret à garder. Elles ne virent pas Waldo pénétrer silencieusement dans la pièce. Nina paradait en portant une nouvelle toilette devant son frère admiratif, non pas de sa sœur, mais plutôt devant une peinture au mur d'un cerf imposant à l'orée des bois. Les détails étaient tels qu'on aurait pu croire qu'il était vivant et dans la pièce. Elle s'arrêta subitement en voyant la figure déconfite de Waldo. Elle s'adressa à lui en lui demandant :

— Mais… qu'est-ce qui ne va pas ?

— Ouf ! Quelques soucis personnels !

– Le roi est de retour, poursuivit-il sans grand enthousiasme.

– De retour ! C'est merveilleux ! Vous allez voir, dit Adora en s'adressant aux invités, les banquets sont somptueux et les divertissements fabuleux. Musique, tours de magie…

– Je crains que ta joie ne soit brisée par une mauvaise nouvelle, annonça-t-il tristement.

– Laquelle ? demanda Adora d'un ton inquiet.

– Je suis chassé de la cour et destitué.

– Comment est-ce possible ? s'écria-t-elle. Tu es le préféré de mon père et de la cour !

– Plus maintenant. La vue d'un deuxième dragon l'a perturbé au plus haut point.

– Ce serait moi la source de votre malheur ? demanda Inféra.

– Hélas ! oui.

– Est-ce que je peux faire quelque chose pour arranger ça ? s'enquit Inféra.

– Je crains que non, dit un Waldo complètement effondré.

— Mais ceci ne nous explique pas pourquoi un deuxième dragon l'a mis dans cette fureur, réfléchit tout haut la fille du roi.

— Chère Adora, sans le savoir, tu es devenue plus populaire que le roi. Le peuple a vu un deuxième dragon, je suppose que la population s'est enflammée en voyant deux dragons ! J'imagine que ton père a compris que sa popularité était en déclin. C'est la seule explication qui me vient à l'esprit. Ton père m'accuse de complot pour une prise de pouvoir.

— Ridicule ! affirma-t-elle.

Avant de poursuivre sa conversation, l'Elfe s'approcha de sa bien-aimée.

— Il ne veut plus que je vienne ici, dit-il avec des trémolos dans la voix.

— Mais c'est absurde ! Je t'aime Waldo, fit-elle en posant sa tête sur son épaule.

Il y eut un long silence et la troupe ne put que s'émouvoir devant cette scène si prenante. Elle releva la tête et s'écria :

— Je vais aller voir mon père et je vais aller quérir sa clémence.

Il secoua la tête.

— Non, il n'y a plus rien à faire.

— Moi, je crois connaître une solution et… qui fera bien notre bonheur, annonça Arméranda.

L'Elfe se tourna vers elle.

— Dites.

— D'après ce que j'ai compris, l'hiver sera bientôt à vos portes.

— Oui, répondit Waldo, d'ici deux à trois jours ; les matinées sont déjà plus fraîches. Nous avons des courants d'air chaud qui tournoient sur place et maintiennent notre pays à une température constante en été et, en janvier, tout bascule. Un courant d'air froid provenant du nord-est s'installe et l'hiver s'établit.

— Justement, qui dit hiver, dit saison morte, continua Arméranda.

— Ah ! Je vois où tu veux en venir, dit Andrick, tu es géniale !

— Quoi ? Qu'est-ce qui est génial ? demanda Inféra, perplexe de ne pas comprendre aussi vite que le jeune magicien.

— Oui, Andrick ! Tu as tout compris, comme vous pouvez le savoir, nous ne sommes pas ici par pur hasard. Nous avons une mission à accomplir : réunir les cinq pointes de ce pentacle, poursuivit la jeune femme aux yeux d'un bleu turquoise, en soulevant la breloque qui pendait au cou d'Inféra.

– Oui, maintenant je me souviens. Inféra m'a remémoré les dires d'un des magiciens. Il m'avait avisée de ne jamais m'en séparer, coûte que coûte, affirma Adora en comprenant maintenant qu'elle ferait partie d'un long voyage comportant des embûches et une libération cruciale et définitive de Draha.

– Et vous avez raison. Lorsque nous retrouverons les trois autres porteurs de dragon qui auront ce même objet, il faudra réunir les pointes, dit Nina. Dès que les pointes du pendentif se toucheront, elles se lieront. Le pendentif se reconstituera et permettra de libérer les dragons de tous les porteurs.

– Et pourquoi l'hiver semble vous réjouir autant ? demanda l'Elfe.

– Parce qu'en hiver, votre dragon est inoccupé, pas de forêts contaminées par des insectes à brûler. Donc, une absence du dragon et de... vous, dit Andrick en réalisant que ce n'était pas tout à fait adéquat, disons de quelques mois, ne déplaira pas à votre souverain. Et le plus important, Inféra et Adora ne seront plus des porteuses de dragon dès que le pentacle sera restitué.

– C'est juste, dit Waldo. Mais où allons-nous ?

– Il reste trois dragons. Un doit vivre dans l'eau ou aime l'eau, formula Nina. Un autre aime l'air, quoique tout le monde a besoin d'air pour vivre… et le dernier, c'est le dragon de l'éther. D'après Éridas, seul le dragon de l'éther saura équilibrer les forces, les harmoniser et empêcher les dragons de se batailler entre eux.

– Pourquoi se batailler ? se demanda la porteuse du dragon vert. Je m'entends à merveille avec Inféra.

– Je ne pourrais l'expliquer… Des forces trop inégales, je suppose, proposa la jumelle comme explication.

– Et où pouvons-nous trouver ces dragons ? répéta l'Elfe.

– C'est à nous de le découvrir, dit Andrick.

– Mais, ça prendra plus que quelques mois, jugea Waldo.

– Probablement.

– Donc, elle mentira à son père.

— Peut-être bien que si, dit Arméranda. Qu'avons-nous à perdre ?

— Rien. Vous avez entièrement raison. D'ailleurs, Adora, te sens-tu prête à partir ?

— À vrai dire non.

— La question ne se pose même pas. Le peuple te vénère, fit Waldo en prenant sa main. Ta place est ici.

Il se retourna vers les visiteurs.

— D'ailleurs, le roi ne désire pas qu'Adora parte. Il s'agit de moi, poursuivit-il en versant quelques larmes.

— Chut ! dit-elle en mettant son index sur ses lèvres. Ce que tu ne sais pas, c'est que je dois me libérer de ce dragon. Il veut vivre tout comme moi et si nous ne réunissons pas ce pentacle, un de nous deux devra périr, si ce n'est les deux. Ah ! Si mon frère était là, il m'encouragerait dans cette aventure, c'est sûr.

— Vous voulez dire Galdor ? demanda Nina.

— Galdor ! Oui ? Comment connaissez-vous son prénom ?

— Nous l'avons rencontré, répondit Andrick.

La surprise se lisait sur le visage de la porteuse du dragon vert.

– Vous lui avez parlé ? s'enthousiasma Adora.

– Oui et… il vous dit… hum… j'ai une bien mauvaise nouvelle, car il vous dit de ne plus l'attendre et… qu'il vous aimait beaucoup, ajouta le jumeau.

– Mais pourquoi ? supplia-t-elle

– Parce que… euh… c'est encore plus difficile à dire.

– Mais dis-le donc ! se choqua la jolie Elfe.

– Parce que nous avons parlé à son spectre.

Adora s'effondra sans connaissance. Waldo s'agenouilla et releva la tête de son amour. Lorsqu'elle reprit ses esprits, elle voulut tout savoir. Andrick expliqua que c'est à la dernière étape de son voyage, juste avant son retour dans son pays, que les Douades l'ont tué. Il n'avait pas assez de pierres précieuses sur lui pour passer. Elle pleura beaucoup.

– Je l'ai tellement attendu. Je crois qu'il n'y a plus rien qui me retient ici. J'irai où je dois aller.

La troupe des chevaliers du Dragon rouge se réjouit, mais ils ne firent aucune démonstration de joie. Waldo embrassa sa douce et l'enlaça. Nina et Inféra soupirèrent. Elles aimeraient tellement avoir un amoureux aussi charmant et affectueux que ce seigneur. Arméranda glissa sa main vers Andrick et ce dernier lui sourit.

– Qui annoncera la nouvelle de notre départ ? demanda Adora.

– Je crois que je ne puis le faire, soupira son camarade. Nous demanderons à la dame de compagnie de le faire pour nous.

Ainsi, la dame fut investie de ce message et elle y alla à reculons.

CHAPITRE 15

LE DERNIER SOIR DE LAUNA

Marchant côte à côte dans un corridor menant au bureau de la commandeure, Launa fit part de sa réflexion à son accompagnatrice. Depuis hier, cette dernière se portait mieux. La fièvre était tombée et les blessures aux mains avaient finalement cicatrisé. Mélissa entra dans la pièce et s'assit à son poste de travail pour rédiger la logistique du départ et des derniers préparatifs de fermeture de l'usine. Elle permit à la jeune fée de la suivre malgré sa tâche imposante de travail. Mélissa était préoccupée par l'état changeant de la fillette. Elle constata que son moral était plutôt bas à son réveil et qu'elle tenait à suivre la commandeure plutôt que Frédéric.

– Ça fait plus de deux ans, pratiquement trois, que nous sommes sur cette planète. Le temps passe tellement vite, dit Mélissa en saisissant une chemise à soufflet.

– C'est ce que je constate, dit Launa en reniflant et en essayant de ne pas pleurer.

– Chère Launa, tu fais preuve d'une grande maturité en décidant de retourner chez toi et surtout tu me facilites la tâche de devoir me séparer de toi. L'autre jour, je t'ai vue jouer avec Frenzo et Frédéric. C'était beau de vous voir. Tu es la fille que j'aurais voulu avoir. Toutefois, je ne peux t'emmener avec moi pour les raisons que tu as évoquées. Tu appartiens à la planète Dina et tu accompliras, j'en suis sûre, de grandes choses auprès de ta famille sur le continent Alphard.

– Oui, je sais, madame. Les quelques mois passés auprès de vous tous m'ont transformée. J'étais une enfant gâtée par mon père et tout tournait autour de ma propre petite personne. La vue d'engins volants et de votre rôle m'ont séduite. Maintenant, je reconnais que je m'ennuie de mes parents et même de mes frères, Wilbras VI et Éloy, des paysages plus cléments qu'ici, de…

Elle pleura d'émotions. Mélissa délaissa son travail, s'approcha d'elle et la serra.

– Tu es magnifique. Tu es la première fée que j'étreins dans mes bras et dans mon cœur.

Launa pleura encore davantage.

– Ne pleure pas, jeune dame. As-tu pensé quand tu veux retourner chez toi ?

– Ce soir, j'imagine.

– Je crois que cela peut attendre quelques jours. J'organise une fête en l'honneur de la bravoure du capitaine Ian Prévenu, la semaine prochaine. Veux-tu y assister ?

– Oh ! bien sûr.

– Il y aura un photographe. Il prendra des clichés au cours de la soirée. Je t'en ferai une copie. Comme ça, tu auras des souvenirs de nous.

– D'accord, pleurnicha-t-elle.

Elle était inconsolable et Mélissa fut incapable de travailler. Elles regardèrent par la fenêtre le vent qui soulevait la neige.

– Je t'aurais proposé une balade en scouteur, mais le temps est trop mauvais.

– J'aurais bien aïmé, renchérit Launa.

Leur silence fut rompu par Frédéric qui la cherchait pour jouer. Elle accepta.

Pour la première fois, Mélissa avait revêtu une superbe robe blanche aux multiples volants. Ses longs cheveux noirs habituellement attachés ondulaient sur son dos et elle portait un diadème décoré d'un petit diamant. Les locaux avaient été invités à l'événement et ils acclamèrent cette souveraine de passage. Contrairement à Dorado, le système de royauté n'intéressait pas les Matrokiens. Ils vivaient par clan et comme la population augmentait faiblement, personne ne brimait la liberté des autres. Les Erratiens avaient apporté du confort. En arrivant, ils avaient bâti des entrepôts et d'immenses serres. Les fruits et les légumes étaient maintenant disponibles même par temps très froids. Ils avaient de la nourriture et des résidences chaudes. Avec les scientifiques, ils avaient appris comment récolter les graines, les semer et les faire fructifier. Ils avaient aussi appris à reboiser leurs forêts. À certains endroits, ils pouvaient couper le bois et l'utiliser comme combustible. Certes, le départ les attristait, mais pas au point de se sentir dépourvus. Pour souligner cet événement, ils avaient revêtu leurs costumes ancestraux constitués de peaux, de plumes et de piquants de porcs-épics colorés. Divers motifs géométriques compliqués, peints en rouge, jaune et bleu gris, recouvraient la surface presque blanche du vêtement. En entrant, ils déposèrent quelques cadeaux souvenirs, des pipes décoratives, des flûtes et des statuettes de pierre.

Ian accompagnait la commandeure et portait un smoking noir. Frédéric avait enfilé des pantalons en velours gris et un pull-over bleu marin. Pour l'occasion, les couturières avaient confectionné pour Launa une robe longue toute blanche bordée de rubans roses. Tous les membres du personnel de la base avaient revêtu leur plus belle tenue. En général, les hommes portaient du noir tandis que les femmes avaient d'élégantes robes longues aux teintes pastel. Les serviteurs passaient de nombreux plateaux de nourriture et le champagne coulait à flot. Les locaux apprécièrent ce breuvage mousseux et certains en abusèrent un peu sans toutefois dépasser leur limite.

Ensuite, la foule fut invitée à passer à la salle à manger, une bulle de verre aux dimensions impressionnantes. Les enfants qui accompagnaient les locaux furent conviés à une autre salle où une pièce de théâtre était prévue.

À la salle à manger, une musique de fond jouait. Un bon feu crépitait dans le foyer central et des centaines de bougies éclairaient la pièce. Mélissa n'avait pas négligé les attentions. Il y avait assez de place pour tous et le repas comprenait cinq services allant de l'entrée froide au dessert.

– Délicieux ! dit Launa en s'adressant à la commandeure. Veuillez m'excuser si je ne mange pas beaucoup. Je n'ai pas le cœur à fêter.

– Moi non plus, dit tristement Frédéric. Je vais m'ennuyer de toi et de Frenzo.

– Ç'a tellement passé vite, pleurnicha Launa.

– Tellement vite, répéta-t-il.

– Allons, allons, ne soyez pas si triste, dit la commandeure. Nos vies prennent un autre tournant.

– Oui… et que dire des aventures qui vous attendent et qui vous apporteront leur lot de joies et de tristesse, dit Ian, mais jamais, vous n'oublierez les bons moments passés à Matrok.

Launa essaya de lui sourire, elle ne réussit qu'à grimacer. Comme promises, des photographies furent prises durant la soirée et des pochettes en cuir contenant une vingtaine de photos furent remises. À la fin de la réception, Mélissa prit la parole. Il y eut beaucoup d'applaudissements lors de la déclaration de l'acte de bravoure du capitaine. Bien des gens lorgnèrent vers Launa. Elle était si différente de tous. Elle fut heureuse de ne faire l'objet d'aucune mention. Lorsque Mélissa annonça leur départ, les locaux applaudirent, non pas qu'ils en étaient heureux, mais parce que les Erratiens leur avaient parlé de cette éventualité dès leur arrivée. Alors, ils s'étaient faits à cette idée, aucune joie ou peine ne se manifestant. Ils savaient que, peut-être un jour, ils reviendraient.

En la ramenant vers sa chambre en compagnie de son fils, Mélissa dit :

— Demain, vers les 19 h, ce sera le grand départ. Tu seras chez toi une heure plus tard, vers minuit à l'heure de Dorado. Nous allons traverser quatre fuseaux horaires. La nuit tombe plus vite chez toi qu'ici en raison du mouvement de rotation de la planète.

– Oui, vers minuit. Je vous remercie pour tout, fit Launa en s'inclinant. Et vous, quand quitterez-vous notre planète ?

– D'ici un mois ou deux.

– On ne se verra plus jamais ?

– Jamais, c'est un bien grand mot, répondit Mélissa. Notre peuple a visité plusieurs fois votre planète. En 150 ans, nous avons fait 8 expéditions. La vie prend parfois des drôles de tournures. Durant tout ce temps, nous avons exploité des gisements difficiles d'accès. Et voilà, nous découvrons un filon en surface et d'une pureté hors du commun. Fait étonnant, cette mine serait plus riche et plus importante que celle que nous avons exploitée jusqu'à ce jour. De fait, nous aurions dû nous établir là-bas plutôt qu'ici.

Launa serra sa pochette contre elle.

– Jamais je ne vous oublierai.

– Moi non plus, dit Frédéric en l'embrassant. Tu es la plus jolie fée que je connaisse.

Launa rit.

– Qu'est-ce que je pourrais te laisser en souvenir ? demanda Launa.

– Une mèche de tes cheveux, répondit-il.

CHAPITRE 16

UNE DÉCISION DOULOUREUSE

Le roi en apprenant, par la bouche de la dame de compagnie, le désir d'Adora de quitter les lieux pour quelques mois avec la troupe et Waldo, accueillit cette nouvelle avec peine. Il aurait dû le prévoir. En chassant son amoureux, il fallait s'attendre à ce qu'elle veuille le suivre. Il se rendit compte que le plus difficile serait d'annoncer cette nouvelle à sa bien-aimée, la souveraine.

– Transmettez mon message de bienvenue à la troupe des... des chevaliers du Dragon rouge et d'acceptation du souhait de ma fille de voyager auprès d'eux et... du seigneur Waldo. Dites-leur qu'une fête sera organisée pour souligner leur départ et bien sûr, ils sont tous invités à cette fête.

La dame fit sa salutation en promettant de transmettre le message. Elle disparut de sa vue. Il quitta la salle d'audience pour se retirer dans son appartement, loin de son épouse et loin de Rivala. Il pleura. Il n'avait pas revu son fils chéri Galdor depuis des années. Il craignait qu'il ait péri lors d'une bataille contre un ennemi plus puissant que lui. Allait-il à nouveau perdre un autre enfant ? Dans un certain sens, il l'avait déjà perdue. Elle n'était plus elle-même. Elle n'était qu'un grand reptile vert crachant du feu. Pourquoi tous ces malheurs ? Il aurait été si simple d'être juste un bon roi et d'avoir une vie normale.

Entretemps, son épouse entra. D'habitude, il était assis à son bureau et épluchait le courrier reçu. Au lieu de cela, il avait ouvert un battant de la fenêtre et regardait au loin. L'inactivité n'était pas une coutume chez lui.

– Glorfindel !

– Oui, ma douce Elwing ?

Elle s'approcha de lui. Elle remarqua ses yeux rougis et ses joues humides.

— Mais tu pleures ?

— Je crains qu'il nous faille laisser partir Adora.

— Partir ? Mais de quoi parles-tu ? s'écria-t-elle.

— J'ai destitué Waldo et je désire qu'il ne mette plus les pieds ici. Notre fille m'a fait part de son désir de le suivre.

— Mais pourquoi as-tu fait cela ? demanda la reine incrédule et choquée.

— Parce qu'il ne m'a pas avisé de la venue d'un deuxième dragon.

— Mais peut-être que tu ne lui as pas laissé assez de temps pour te l'expliquer ?

— C'est exact, avoua-t-il de façon presque inaudible.

La reine se réjouit.

— Mais alors, ce n'est pas si grave. Tu n'as qu'à revenir sur ta décision.

— Jamais ! hurla-t-il. Je dois assumer mes actes sinon je risque de paraître comme si j'étais une girouette qui branle aux vents.

— Alors, c'est ça ! cria-t-elle. L'orgueil te tuera !

Comme il ne riposta pas, elle ajouta :

– Tu n'as rien fait pour empêcher notre fils Galdor de partir à l'aventure et maintenant, tu voudrais qu'Adora nous quitte.

– Puisque c'est son souhait de suivre son amoureux.

La reine se retourna et quitta l'appartement en claquant la porte. Quelques heures plus tard, sa colère augmenta lorsqu'elle apprit par un de ses serviteurs que le roi organisait une grande fête pour souligner le départ de sa fille et de Waldo. Il envoya des dépêches à tous ses seigneurs et Elfes importants du pays. Au château, il y eut beaucoup de va-et-vient pour finaliser les préparatifs avant la fin de la journée.

Cette soirée tombait bien, un temps idéal avant la venue des grands froids. Bientôt, les feuilles se coloreraient dans des couleurs chatoyantes avant de s'échouer au sol et l'herbe si verte rougirait dû à la présence d'une grande quantité d'oxalides.

Rivala se réjouit en apprenant le départ de la cadette. Vite, elle se dirigea vers les ateliers de costume pour se commander une robe de soirée des plus splendides et des souliers fins. Peut-être que l'attention des jeunes seigneurs du pays se tournerait enfin vers elle. Son cœur battait à tout rompre. Enfin, une occasion parfaite pour se faire remarquer, enfin un Elfe daignerait avouer son amour pour elle. Pour une fois, Adora ne serait pas le point de mire.

Elle faillit trébucher dans l'escalier menant chez son costumier préféré, Maeglin, tant son excitation était au maximum. Celui-ci avait un œil exercé. Brillant et innovateur, il drapait de façon à avantager quiconque n'ayant pas les proportions parfaites.

En entrant, elle s'écria :

– Maeglin, ce soir, je veux être la plus belle.

En la voyant, le costumier sentit ses doigts s'agiter de bonheur. Il allait concevoir et réaliser la plus belle et somptueuse création de sa vie pour cette princesse à la chevelure platine et aux yeux gris acier. Elle était si différente de sa sœur cadette aux yeux d'émeraude et à la chevelure dorée.

– J'ai, dit-il, une soie peu commune, de la soie de néphile.

– De néphile ?

– Oui, de la néphile dorée. Comme le dit son nom, cette soie a une belle couleur dorée. Je n'en ai qu'une faible quantité, mais assez pour la confection d'une écharpe qui soulignera votre beauté.

– Ah ! fit-elle avec émotion.

Les seuls à ne pas se préoccuper de cette soirée étaient les visiteurs, Adora et Waldo. Pendant la journée, ce dernier en profita pour montrer tous les recoins du château. Il s'étalait sur presque un quart de kilomètre carré et s'élevait sur six étages. Les tourelles si nombreuses constituaient le septième étage et elles étaient inhabitées. À cette hauteur, on y entreposait les grains, les légumineuses, les fines herbes, les épices, les fruits et les légumes séchés. C'était en quelque sorte le garde-manger royal. En ce mois de janvier, il était plein à craquer. La saison avait été bonne.

Un peu plus bas, au sixième étage, c'était les ateliers légers comme le filage, le tissage, le peignage des soies, la confection de robes, de chapeaux, de voilettes et d'autres biens tels que des sacs et des rideaux. Les pièces étaient immenses, bien ensoleillées et aérées. Un personnel ahurissant y travaillait : des teinturiers, des tailleurs, des costumiers, des couturiers et de nombreux tisserands. Adora remarqua qu'ils étaient plus fébriles que d'habitude. Maeglin coupait des mètres et des mètres de satin mordoré. Des dentellières s'activaient pour confectionner des lisières d'un tissu ajouré, constitué de fils d'argent et de pierres nacrées. À l'arrière, une tisserande manipulait une soie des plus rares aux effets dorés. Un peu plus loin, on taillait une cape aux reflets bleu indigo et bourgogne.

— Ça, c'est pour mon père, s'attrista la princesse. Il s'est commandé une autre cape. Elle est splendide. C'est comme un message pour nous indiquer sa joie de nous voir partir.

Waldo n'en fit pas de cas et continua la conversation avec les chevaliers du Dragon rouge, puis les conduisit à un autre endroit.

— C'est important que nos travailleurs puissent bien exécuter leur tâche, dit-il.

— Dans votre seigneurie, qu'est-ce qu'on y fabrique ? demanda Arméranda.

— Nous fabriquons des armes et des attelages. Mon domaine est au nord, nous exploitons des mines de charbon. Les Elfes noirs ont été longtemps les mal-aimés. Ils travaillent dans les profondeurs des terres pour retirer le charbon, un combustible qui dégage des fumées noires et pestilentielles. Être le seigneur de la terre des Elfes noirs, c'est posséder une richesse, de l'or noir. De plus, les forêts aux alentours fournissent le meilleur frêne pour nos arbalètes et les carreaux. Sans me vanter, mes artisans fabriquent un acier de pointe, un acier souple et tranchant, trempé de nombreuses fois à des températures très froides, l'hypertrempe.

– J'avais remarqué, dit Arméranda. Vos épées sont d'une grande élégance et d'une minceur à couper le souffle.

– En effet, je peux trancher d'un seul coup, en les lançant dans les airs, autant une liasse de papier que des clous d'acier. Assez parlé de moi, allons au cinquième étage, là où nous produisons les boissons et alcools les plus sophistiqués.

Ils parcoururent les lieux et l'odeur de l'alcool leur monta à la tête. C'est avec un brin de folie et d'euphorie qu'ils traversèrent le quatrième étage ne contenant que des chambres réservées aux visiteurs et aux domestiques.

– Mais où dort la famille royale ? demanda Andrick.

– Dans l'aile ouest, une aile que personne ne peut franchir. Elle est protégée par six gardes. J'en ai déjà fait partie. Seuls quelques domestiques, invités et musiciens ont eu le droit de fréquenter ce lieu. Il paraît que les murs sont plaqués d'or et la pièce est décorée d'objets mécaniques reproduisant le chant des oiseaux. Celui du rossignol est le plus apprécié. Notre roi aime par-dessus tout les pièces d'or. D'ailleurs, puisque vous êtes invités à sa table, je vous préviens, un petit cadeau lui fera le plus grand plaisir.

La petite troupe sourit. Ils avaient de belles pièces d'or dans leur sacoche.

– Et comment nous lui offrons ce cadeau et surtout quand, au début ou à la fin du repas ? demanda la jeune cavalière.

– À l'entrée, lors des présentations, répondit Adora.

– Bon, les premier, deuxième et troisième étages ne contiennent que des salles de musique, de danse et de réception. Allons au rez-de-chaussée, où on apprête la nourriture.

Les cuisines étaient immenses et les odeurs, alléchantes. Ils en profitèrent pour déguster des bouchées au fromage avec du thé. Puis, Waldo les entraîna vers les serres. De nombreux cocons blancs pendouillaient.

— L'élevage des vers à soie, dit Adora. Ces cocons fournissent le fil de nos robes.

— Beugh ! fit Inféra, des vers, tu veux dire des vers grouillants.

— Exact ! Nous cultivons aussi le coton et le lin dans les champs, mais la soie, c'est le tissu le plus prestigieux et aussi celui qui a les couleurs les plus lumineuses. Bientôt, nous allons revêtir des vêtements plus chauds en laine. Le froid s'en vient.

— Vous n'arrêtez pas de parler du froid alors qu'il fait encore très beau, dit Nina.

— Vous allez tout comprendre bientôt lorsque le vent du nord soufflera sur nos terres. D'ici une semaine, vous ne reconnaîtrez pas le paysage. D'ailleurs, les domestiques commenceront à habiller les fenêtres, dit le seigneur.

— Habiller les fenêtres ? s'exclama Nina en riant.

— Nous les recouvrons de rideaux lourds et chauds pour diminuer les infiltrations d'air. Au bas des portes, nous plaçons des serpents de porte, des garnitures allongées bourrées de laine et de retailles de tissus, dit Adora.

– Donc, il est impératif de partir d'ici dans un jour ou deux, conclut Andrick.

– En effet, dès demain matin, il nous faudra partir, dit tristement Waldo. Te sens-tu prête mon amour ?

– Il le faudra bien, répondit Adora.

CHAPITRE 17

OÙ EST PICOU ?

Waldo expliqua à Andrick qu'une tunique blanche n'était pas un bon choix. Cette couleur représentait l'absence de couleurs, l'absence de gaieté. Adora demanda à un des costumiers de fabriquer un pourpoint bleu indigo et une chemisette dans les tons de lapis, kaki, tilleul et citron. Il prit les mesures du jeune invité et ensuite, il posa différents tissus sur son épaule. Adora approuva. Nina rit en voyant ces choix.

— Pourquoi riez-vous ? demanda l'Elfe.

— Parce que ce sera la première fois que mon frère portera des couleurs hum… qui me semblent ne pas convenir à un jeune homme. Beaucoup trop de motifs et de couleurs sur ce tissu pour la chemisette.

— Oh ! Ici, les couleurs ont une grande signification : le blanc pour un décès ou pour tout ce qui est sans vie, le vert pour la chance, le jaune pour la richesse, le bleu pour la joie et le rouge signifie autant l'amour que la guerre.

— Et le noir ? demanda Arméranda. Chez nous, le noir est la couleur préférée de la noblesse, ainsi que les bleus royaux et le bourgogne.

— Le noir représente le charbon, la saleté et il est très mal vu de porter du noir.

Soudain, Inféra se mit à trembler et son visage blêmit.

— Tu ne vas pas bien ? demanda Arméranda.

— Je n'ai pas vu Picou depuis un bon bout de temps, s'affola la dragon-fée. Quelle imbécile je suis ! PICOU, OÙ ES-TU ? PAR LES FEUX DE MON DRAGON, RÉVÈLE-TOI !

Dans l'atelier, plusieurs couturiers cessèrent le travail et tournèrent leur tête vers cette dame à la chevelure rousse.

– Picou ? demanda Waldo.

– Oui, mon compagnon, sanglota Inféra. Picou, je vous l'ai dit.

– Le rat ? chuchota Adora. Un vrai rat ? Je pensais que c'était une figure de style pour dire que vous ne l'aimiez pas.

– Non, non, mon compagnon est un vrai rat, répondit-elle en pleurnichant.

– Chut ! fit la jeune Elfe en indiquant la sortie, allons converser dans le corridor, loin des oreilles indiscrètes.

Une fois dans le corridor, elle pleura et s'écria, pleine d'amertume :

– Qu'est-ce que je peux être bête ! La dernière fois que je l'ai vu, il s'était caché dans une des sacoches. Ensuite, nous n'avons pas arrêté de nous promener d'une place à l'autre. Peut-être qu'il lui est arrivé quelque chose ?

– J'y pense, plusieurs personnes ont dû pénétrer dans cette pièce puisqu'elle a été nettoyée, avait noté le jumeau. À notre retour du temple, toute la nourriture dans la chambre n'y était plus.

– Oh ! Je crains qu'un domestique l'ait découvert et ait appelé le service d'extermination.

— Ah ! Par les dieux, il faut le retrouver ! s'affola Inféra. C'est mon compagnon. Comment ai-je pu l'oublier ?

— Ne paniquons pas, dit Arméranda, il est peut-être encore dans la pièce.

Ils coururent. Une fois sur les lieux, Inféra se coucha à même le sol pour chercher sous les meubles. Les jumeaux cherchèrent dans les sacoches, Arméranda, dans les recoins du placard, et Waldo souleva les tentures. Adora, qui n'était pas particulièrement fanatique des rats, ne fit pas partie de l'équipe de recherche. Au bout d'une demi-heure, ils s'avouèrent vaincus.

— Ah ! que c'est bon de se savoir aimé, dit une voix caverneuse qui résonnait comme dans le fond d'un couloir et qui fit sursauter la dragon-elfe.

— Picou ! s'écria Inféra. Mais où es-tu ?

— Ici, dans cette urne, dit-il.

Il y avait sur le plancher, près d'un paravent, une urne remplie de fleurs séchées. Inféra enleva les fleurs et remarqua tout au fond son compagnon qui avait une bosse au front. Elle renversa tout doucement le vase pour qu'il puisse glisser le long de la paroi. Étourdi, il s'assit et replaça sa tunique.

— Qu'est-ce qu'il t'est arrivé ?

— Ne m'en parle pas. Un péché de gourmandise. J'étais installé sur la petite table roulante et je savourais un magnifique biscuit quand la dame de chambre est arrivée. En un mouvement, elle m'a tapé dessus avec son gros balai. Elle allait me donner un autre coup de balai quand j'ai détalé le plus vite possible. J'ai couru dans tous les sens de l'appartement. J'ai tout fait pour la fuir. Je me suis caché sous le sofa derrière les banderoles. Rien à faire, elle me retrouvait à chaque coup. Puis, je me suis mis derrière cette potiche et lorsqu'elle me cherchait de l'autre côté de ce paravent, je suis tombé dans ce vase pour me fracasser le front. À mon réveil et au fond du vase, j'ai réalisé que j'étais sauf, mais aussi prisonnier. Aussitôt qu'elle a quitté la pièce, j'ai bien essayé de sortir. Rien à faire. J'ai patienté et j'ai fini par m'assoupir. Lorsque vous êtes revenus, j'ai attendu d'être sûr que c'était bien vous avant de me révéler.

— Un rat qui parle, finit par dire Waldo. Impressionnant !

Inféra le caressa et l'embrassa.

— Je t'ai complètement oublié. Est-ce possible ?

— Je ne comprends rien. Les rats parlent par chez vous ? demanda la princesse.

— Bien sûr que non, répondit la porteuse de dragon. Je vous l'ai dit, mon compagnon était un magicien comme Andrick et, pour qu'il puisse me protéger, les autres magiciens, dont mon père et ma mère qui faisaient partie de ce groupe, l'ont transformé en rat.

Décidément, cette explication n'avait aucun sens pour nos deux hôtes.

— Personne ne comprend vraiment ce geste, dit Andrick pour répondre à leur interrogation. Il y a eu un mouvement de panique. Le pays était dévasté et, pour les enchanteurs, une seule priorité primait : protéger les cinq derniers œufs.

— Peuh ! Ils se sont trompés royalement. Ils ont cru que je passerais inaperçu en cas d'attaque contre Inféra et ils n'ont pas pensé que je ne passerais pas inaperçu aux yeux de tous les croqueurs de vermines. Depuis ce jour, ma vie est un calvaire permanent.

— Oh ! s'exclama Adora qui, prise d'empathie, vint lui caresser le cou. Mais j'y pense, puisqu'il y a une fête ce soir, il faudra qu'il nous accompagne. Je vais commander un costume.

Les yeux de Picou sortirent de ses orbites. La jumelle comprit son malaise à être convié à cette réception.

— Ouais, dit Nina. Il pourrait agir comme ces petites bibittes jappeuses que la plupart d'entre vous placez dans leur manche pourraient vouloir l'éliminer, après tout, Picou a l'apparence d'un rat.

— Oh! ce que vous appelez des bibittes jappeuses, sont de magnifiques bêtes : des chihuahuas et des yorkshires. Nous affectionnons les petits animaux; plus ils sont petits, plus on les aime. Bien sûr, les rats ne font pas partie de cette catégorie d'animaux préférés, mais puisque celui-ci parle, je crois qu'il suscitera un grand intérêt auprès des invités et de mon père.

— Est-ce un risque? prononça Inféra d'une voix inquiète.

— Il ne risque pas d'offenser ton père? dit Waldo qui secondait la dragon-fée.

— Peut-être, mais puisque Picou n'est pas un rat, mais bien un magicien, je veux dire une vraie personne, tout devrait bien se passer.

— Je crains de provoquer plus de désagréments qu'un effet positif, dit le concerné.

— Je connais assez bien mon père, il ne fera rien si tu restes près de ta compagne. Tu verras, il va être impressionné. J'en suis sûre!

— J'y compte bien. Les coups de balai, ce n'est pas mon fort. Hé, dites donc, y aurait-il un petit quelque chose à croquer à cette soirée ? demanda-t-il en se frottant le bedon.

Tout le monde partit à rire.

Les chevaliers du Dragon rouge purent apercevoir tout le va-et-vient par une vue du corridor du deuxième étage qui donnait sur la grande salle. Les serviteurs s'activaient pour les derniers préparatifs et dressaient trois grandes tables. Des milliers de bougies blanches étaient disposées. De nombreux ustensiles en argent s'étalaient de chaque côté du couvert. Le reste de la décoration était dans des tons d'or et de vert olive.

— Combien de personnes le roi a-t-il invité ? demanda Andrick.

— Je m'attends à voir 300 personnes, répondit Waldo. Je crois que le roi va mettre le paquet en nourriture et, qu'en retour, il s'attend à ce que les invités venus d'ailleurs suscitent un intérêt pour les autres convives.

— Vous voulez dire qu'on servira de divertissement, lança Nina.

– Oui… je ne veux pas vous offenser, mais vous avez l'air tellement jeune et… vous ressemblez à nos colons, à part Nina.

– Les colons? demanda Inféra.

– Oui, renchérit Adora, ceux qui travaillent dans les champs… les humains. Ils ne travaillent à aucune tâche noble. Ils nous fournissent les matières premières et nous fabriquons la nourriture et les vêtements. Les éléments transformés le sont d'abord pour nous. Il nous arrive de leur en revendre à prix fort.

– Qu'est-ce qu'ils ont, les humains? demanda la jumelle.

– Ils ont… de nombreux enfants et meurent très jeunes. Ils portent des vêtements en coton, peu dispendieux, mangent sans élégance et ont comme divertissement de boire du vin et de la bière.

– Ah! dit Nina. Maintenant, je comprends pourquoi les patrouilleurs nous regardaient d'une drôle de façon. Mais notre vie ne se limite pas au travail, à boire et à manger. Nos parents nous éduquent et nous aimons les fêtes, la musique, la compétition. Comme tout le monde!

– Hum… dit Arméranda, je suis une humaine et ma vie est limitée. J'apprécie ma vie chaque minute. Je sais bien que ça fait cliché. À Dorado, les enchanteurs ont une vie 10 fois plus longue que les humains. Je ne les envie pas. Je crois que nous avons un rôle à jouer. Étant donné notre vie si courte par rapport à vous, les Elfes et les enchanteurs, nous devons en prendre soin et l'utiliser à juste escient.

– Belle réflexion, admit Waldo. Mais, on ne peut effacer de l'esprit de notre peuple que les humains sont mal vus puisqu'ils ne vivent pas longtemps. Ce sont… en quelque sorte… comme des bêtes de somme.

– Oh ! dit en chœur la troupe.

– Vous avez l'air si jeune, dit Adora en regardant Inféra, plus jeune que nous.

– Jeune, moi ? J'ai 155 ans, dit Inféra en rougissant.

– Moi, 180, compléta Picou.

– Et moi, 11 ans, dit Andrick.

– Moi aussi, ajouta Nina.

– Et moi, 12, dit Arméranda.

– WOW ! dit Waldo, toute une différence d'âge et pourtant, vous avez tous l'air d'avoir le même âge, à peine 15 ans, tout au plus.

– Moi, j'ai 160 ans et Waldo, 180 ans, dit Adora. Le roi, mon père, a plus de 300 ans et il paraît aussi jeune que moi. Vous verrez, notre aspect physique s'arrête dans la vingtaine, ce qui fait que nous avons tous l'air d'être frères et sœurs. Par contre, une peine d'amour ou un chagrin peut nous faire vieillir et, si ce chagrin perdure, nous mourrons dans les années qui suivent.

– Oh ! si vite que ça ? dit Inféra.

– Il y a bien sûr quelques nuances.

– Passons aux choses sérieuses, annonça Adora d'un ton joyeux pour briser cette atmosphère triste. Il est grand temps de se préparer à ce festin. Allons revêtir nos toilettes.

Les jumeaux accueillirent cette proposition avec joie. En montant jusqu'au sixième étage, ils se demandèrent s'ils étaient des enchanteurs à part entière et s'ils vivraient aussi longtemps que les autres enchanteurs, ou s'ils étaient tout simplement des humains ayant des pouvoirs. Pour l'instant, cette question ne les préoccupait pas. Ils avaient encore de nombreuses années à vivre devant eux. En riant, ils atteignirent l'atelier de couture. Cette candeur enthousiasma les hôtes et fit oublier la mauvaise humeur du souverain. Ils retrouvèrent le costumier fort heureux de créer de nouvelles toilettes. Il présenta ses confections légères et colorées presque achevées. Elles étaient toutes posées sur des supports accrochés à un portant à roulettes.

– Ils sont splendides, dit Adora en poussant chacun des vêtements suspendus.

Andrick prit la chemisette et le pourpoint et les colla sur lui.

– Ce n'est pas trop déplacé… pour nous… les humains… de porter de la soie ? demanda le jumeau.

– Comme invités, non. Comme travailleurs, oui.

– Ah ! Je vois. Les bêtes de somme sont quelquefois invitées à la cour, lança Nina, choquée en reposant sa robe sur le portant.

– Ne nous en veux pas, dit Waldo. Je te l'accorde, ce sont des règles stupides, des règles établies depuis des milliers d'années. Il faudrait une révolution pour que cela change.

– Comme un Elfe qui oserait, mais dédaignerait décréter que les humains sont des êtres à part entière, dit Andrick aussi offensé que sa sœur.

– Comme toi, compléta Nina, tu as le pouvoir de changer les choses.

— Oh! Vous savez, la plupart des Elfes n'ont aucun pouvoir, surtout un seigneur destitué. Nous ne sommes tous, aux yeux du souverain, qu'un petit pion sur l'échiquier royal.

— Ça promet, conclut Arméranda.

Un malaise s'installa. Maeglin en profita pour casser le silence et replacer les vêtements encore inachevés.

— Belles gens, êtes-vous satisfaits de vos toilettes?

Adora fit un clin d'œil en direction d'Inféra et dit :

— J'ai une demande spéciale. Un costume pour un invité de marque. Je veux que mon père en soit estomaqué.

Inféra sortit Picou de sa poche. À la vue de ce rat blanc, Maeglin faillit tomber sans connaissance.

Vers les 20h, ils descendirent à la salle. Ils durent se mettre en ligne comme tous les invités. Les chevaliers du Dragon rouge se sentirent tout petits. Les Elfes grands et minces les dépassaient tous d'au moins 30 centimètres et les regardaient comme des animaux de cirque, particulièrement Nina avec ses ailes d'un vert bleuté. Picou se tenait bien caché dans une des poches d'une courte veste d'Inféra. Il y avait chez ces invités des fous rires dirigés en leur direction. Les jeunes chevaliers trouvèrent ce comportement désobligeant.

La file avançait à pas de tortue. Quelques dames s'impatientèrent et commencèrent à trouver lourd de porter leur chien miniature. Enfin, les voyageurs s'approchèrent de l'entrée de la salle. Ils virent un couple assis à un trône saluant chaque arrivant. La souveraine portait une magnifique robe longue en soie bleutée aux chatoiements fuchsia et tenait d'une main un Yorkshire dont le toupet était relevé et garni d'un ruban assorti à sa robe. Le roi était coiffé d'une lourde couronne dorée, ornée de pierres précieuses, et une cape de velours de soie aux reflets bleutés et bourgogne couvrait en partie un magnifique pourpoint bleu marin souligné d'un ruban d'or. Chacun s'avançait et s'agenouillait pour embrasser la main libre de la reine et ensuite celle du roi. Juste avant de se relever, chacun donnait un sachet contenant un don.

— Ah oui, il ne faut pas oublier de donner un présent, dit Andrick.

— Tu fais bien de me le rappeler, ajouta Nina. Je suis tellement nerveuse que j'ai les mains moites.

Quand arriva leur tour, tout se passa mieux que prévu. Le roi et la reine leur firent un accueil chaleureux. Chacun remit un sachet contenant soit des pièces d'or soit des diamants. Le roi soupesa et jugea de sa valeur. À chacun des invités, il sourit en signe d'appréciation du cadeau. Il se retint de grimacer en voyant Inféra. Il nota son bijou, un bijou identique à celui de sa fille. Il comprit que le deuxième dragon, c'était elle.

La troupe se réjouit. Le souverain n'avait fait aucun commentaire. Lorsque Waldo s'agenouilla pour embrasser la main du roi, Andrick comprit la raison de cette réception cordiale à leur égard.

— Une bande d'enfants, ironisa le roi. Tu aurais pu me le dire plus tôt. Je m'attendais à des adultes.

Waldo se retint d'ajouter un commentaire. Il se dit que le roi n'aurait pas apprécié une quelconque remarque puisque, quelques heures plus tôt, il ne lui avait pas laissé la chance de s'expliquer. Ce n'était surtout pas le moment de discuter alors qu'il s'apprêtait à festoyer et, si possible, à ridiculiser ces voyageurs.

Lorsqu'Adora se présenta, il grimaça à nouveau. Malgré qu'elle soit vêtue simplement, il la trouva plus belle que Rivala. Il savait qu'elle aimait profondément son compagnon et qu'elle n'avait d'autres choix que de le suivre. Par sa faute, elle allait le quitter. Du coin de l'œil, il remarqua les larmes d'Elwing. Peut-être entraînerait-il la perte de son épouse ? Elle avait tellement souffert lors du départ de Galdor, un deuxième départ risquerait peut-être de l'attrister davantage ? Il essaya de cacher ses soucis en souriant à chacun de ses invités.

Rivala, assise en retrait, resplendissait dans une magnifique robe céladon soulignée de broderies aux motifs floraux et d'une écharpe dorée, d'une finesse exceptionnelle, presque transparente, et d'une beauté époustouflante. La couleur donnait un éclat mordoré à ses yeux d'un gris neutre. Un petit diadème argenté retenait sa chevelure crème.

Tant qu'il y avait une queue à l'entrée, il n'était pas permis aux invités de s'asseoir. Au bout de la salle, les musiciens jouaient un contrepoint aux rythmes doux et quelques serviteurs se promenaient en tenant des plateaux remplis de petites bouchées. Au bout d'une heure, la dernière personne entra. Le roi et la reine se levèrent de leur trône et vinrent se placer au centre d'une des tables. Puis, la foule fut invitée à prendre place. Il n'y avait pas de places déterminées et nos voyageurs préférèrent la table la plus en retrait. Le repas se déroula à merveille. Des mets délectables furent servis. L'alcool coula à flots et l'ambiance devint plus animée.

La musique cessa. Un magicien du nom de Marvin se présenta et s'inclina à plusieurs reprises en direction du roi. Il plaça sur la scène de nombreux accessoires : une cage contenant deux colombes, une table basse, une caisse et un paravent noirs. Pendant ce temps, quelques chiens se promenèrent en liberté. Ils se regroupèrent près de la dragonfée. Ils commencèrent à sautiller et à japper à ses pieds.

– Mais à la fin, qu'est-ce qu'ils ont à aboyer comme ça ? murmura Inféra.

– Je crois qu'ils sentent la présence de Picou, conclut Adora.

Le magicien frustré arrêta le placement de ses accessoires et dirigea son regard vers l'attroupement de chihuahuas.

– Ouais, je crois qu'il va devoir se révéler, dit Arméranda.

– Non, non, chuchota Picou.

– On n'a pas trop le choix. Tous les yeux sont tournés vers nous, dit la dragon-fée.

Andrick se leva et il ne cessait d'essuyer ses mains moites avec la serviette de table.

– Bonjour, mesdadammes et mesmes… ssieurs, réussit-il à articuler en serrant sa serviette comme s'il essayait d'égorger un oiseau.

Il ne savait pas trop quoi dire.

– Désolé d'interr…rompre… un si beau… spectacle, continua-t-il.

Les gens chahutèrent. Un Elfe cria en riant :

– Il n'a même pas commencé.

– C'est vrai ! Euh…

Les chiens continuèrent à japper et à sauter sous la table.

– La jolie dame qui est près de vous, dit un autre Elfe. Est-ce qu'elle cache quelque chose sur elle ? Nos chiens ne sont pas stupides.

– Peut-être bien…

« Devrais-je le dire ou ne pas le dire ? », se demanda-t-il. Il s'épongea le front et regarda ses compagnons. Adora lui fit signe d'y aller.

— Eh bien, ma copine, ici présente, fit-il en désignant Inféra qui devint aussi rouge qu'une tomate, a un ami bien particulier. Un rat qui…

En entendant le mot rat, des cris fusèrent de partout et les dames grimpèrent sur leur chaise.

— N'ayez crainte…

Personne ne comprit ce qu'il disait. Il y avait un tel affolement que le roi s'éclata de rire, ce qui fit diminuer la tension. Il riait à chaudes larmes et finit par applaudir.

— Un rat, dis-tu.

— Oui, Majesté.

— Eh bien, montre-le-nous.

Avec crainte de paraître ridicule et peut-être de recevoir des objets par la tête, elle se leva et sortit tout doucement Picou. Elle le mit sur sa main et le présenta à la foule. L'habillement et le calme de cet animal firent un bel effet sur la foule qui se radoucit. Une à une, les dames descendirent de leur chaise tandis que les chiens frétillèrent de la queue et aboyèrent plus fort.

— SILENCE ! cria le roi. QU'ON FASSE TAIRE CES CHIENS !

Les convives s'activèrent et après bien des appels par leur nom, les chiens se résolurent à rejoindre leur maîtresse.

– Il s'appelle Picou, dit Inféra d'une voix faible.

Le roi repartit à rire.

– Pi... cou. Quel nom stupide ! Pipi coucou, rigola-t-il.

Ce qui insulta le compagnon de la dragon-fée. Il se dressa sur ses pattes et hurla :

– Et vous, quel est votre nom, Majesté ?

Le timbre grave de sa voix fit l'effet d'une bombe. Un silence plana.

– Majesté, je sais, c'est un tour de ventriloque. Ce n'est pas lui qui parle. Ça doit être son voisin de table, fit le magicien en pointant Andrick. Voyez, moi aussi je peux parler sans bouger les lèvres, ajouta-t-il sans les remuer, et si je tenais une poupée, elle pourrait sembler parler.

– Mais moi, mes lèvres bougent, fit remarquer Picou, et c'est ma propre voix que vous entendez, pas celle d'un idiot qui pense être drôle !

– Mais qui êtes-vous donc ? demanda le roi intrigué.

– Je suis un magicien, répondit-il en relevant sa tête avec fierté.

Les jumeaux devinrent nerveux. Ils ne voulaient pas devenir un objet de divertissement. Marvin partit à rire et se tordit.

– Qu'est-ce qui vous fait rire? questionna le souverain.

– On pourrait créer une compétition, parvint-il à articuler entre quelques éclats de rire.

– Très bien pensé, admit le roi qui se leva de son siège. L'honneur revient à toi, Marvin, de commencer, toi le plus grand magicien de notre pays.

Tout heureux, il s'activa derrière une petite table sur la scène et fit apparaître et disparaître des balles, des bâtons et un lapin. À chaque tour d'adresse, il prononçait les mots Hocus Pocus. Les jumeaux n'étaient pas dupes. Cette formule magique servait à détourner l'attention des spectateurs de tours simplets de prestidigitation.

– Ce ne sont pas des tours de magie, souffla Nina à son frère.

– Je sais bien, ce ne sont que des tours d'illusion.

La foule était enchantée et applaudit à tout rompre. Glorfindel en était fier et se leva en applaudissant. Euphorique, il invita Picou à s'installer sur la scène pour le prochain spectacle. Craignant les petites bêtes aboyeuses, il demanda l'aide de sa compagne. Inféra le conduisit et resta près de lui. Le souverain se rassit. Il se réjouissait déjà de le voir se planter et de la honte rejaillie sur cette troupe venue d'ailleurs. Ils allaient tous repartir honteux et déshonorés, comme de vulgaires importuns en compagnie de Waldo et de… sa fille. Il eut un léger saisissement au cœur en pensant à Adora.

Picou voulait en mettre plein la vue. Il avait mûrement réfléchi pendant le spectacle du magicien. Il pourrait faire apparaître des milliers de feuilles d'or qui tomberaient du plafond, mais la cupidité des Elfes et surtout celle du roi pourraient faire en sorte qu'il en demande davantage. Non, il se devait d'accomplir un seul tour de magie capable de les impressionner et de les laisser sans voix.

— Je ne ferai qu'un tour de magie, qu'un seul. Est-ce que Sa Majesté le roi accepte cette condition ? demanda-t-il en s'inclinant vers le souverain.

Celui-ci agréa en souriant, trop heureux de le voir se gourer royalement. Picou se concentra et, pour narguer son rival, il prononça les mêmes mots que lui :

– Hocus Pocus.

Il y eut comme un tremblement de terre durant de longues secondes. Les tables se renversèrent et la foule cria. Pour augmenter l'effet, il fit apparaître des éclairs. La foudre en tombant faisait vibrer le sol. Elle s'accompagnait de terribles et longs grondements de tonnerre. Lorsque le dernier se fit entendre, toutes les bougies s'éteignirent. Ils furent plongés dans le noir. Il y eut encore quelques secousses. Puis, tout devint calme. Après quelques minutes d'incompréhension, ils comprirent qu'ils étaient tous sur le cul et sous un ciel étoilé. Trop étonnés, ils se levèrent et se regardèrent d'un air ahuri. Tout avait disparu. Plus de château, plus de tables, plus de chaises. Les chiens aussi désemparés que leur maîtresse couinèrent et émirent des sons plaintifs.

Le roi se releva furieux en brossant de sa main ses vêtements.

– QU'EST-IL ARRIVÉ AU CHÂTEAU ?

– Rien, il est là, mais les particules sont tellement distantes que vous ne sentez que du vent, répondit Picou avec candeur. Vous n'avez pas aimé mon spectacle de sons et lumières ?

– JE LE VEUX TOUT DE SUITE !

– Quoi, le spectacle de sons et lumières ?

– IDIOT ! MON CHÂTEAU !

– Ah ! C'est que nous avons convenu d'un seul tour de magie, ironisa le rat. Pour le restituer, je dois en accomplir un autre.

Le roi ragea. La foule s'indigna et s'agita. Le roi chercha du regard où étaient la garde royale et ses sentinelles qui veillaient à sa sécurité. Ils semblaient s'être volatilisés tout comme le château. Toutes ses réserves alimentaires avaient disparu, ainsi que les yokeurs. Plus rien que le sol et l'air frais du soir. Il grogna.

– SAISISSEZ-LE ! cria le roi.

Personne n'osa s'approcher d'un rat magicien, ce qui fit enrager davantage le roi. Il se dirigea pour le prendre lui-même quand un trou dans le sol le fit trébucher. Sa couronne roula au pied de la dragon-fée. Il y eut un malaise parmi les invités. Le roi s'était étalé de tout son long dans un sol boueux. Il se remit debout. Ses habits, sa figure et sa belle cape toute neuve étaient sales. Il voulut se jeter sur lui pour l'étrangler. Il trébucha de nouveau. La foule émit un oh de désarroi. Le roi comprit que ce rat parleur était plus fort que lui.

– D'ACCORD ! J'AI COMPRIS ! QUE VEUX-TU ?

– Du respect, répondit simplement Picou. Mon apparence ne reflète pas ce que je suis. Je demande des excuses, voilà !

Le roi résista à cette demande si farfelue. Jamais il n'allait s'humilier devant ses sujets. Waldo et Adora sourirent. Le souverain si majestueux et si glorieux allait-il fléchir et acquiescer à la demande d'une vermine blanche ? Comme rien ne se passait et que le château était toujours invisible, avec dégoût et en serrant les poings, il s'agenouilla et s'excusa en grinçant des dents. À ces mots, le château et tout le mobilier réapparurent. D'un clin d'œil, il restaura les habits du souverain. Au lieu de le remercier, ce dernier grogna, trop furieux. Le roi fit signe à tous de se disperser. La soirée était finie.

La foule partit en maugréant et fut déçue de ne pas en avoir eu pour son argent. Pour éviter qu'on s'en prenne à eux, Picou créa une bulle de protection. Personne ne put se défouler sur eux.

CHAPITRE 18

UNE NUIT ÉTOILÉE

C'est avec une anxiété croissante que Launa fit ses bagages, entassant des vêtements en cuir, de beaux foulards et quelques paires de souliers. Ses valises contenaient l'élément le plus cher : les photographies. Un serviteur prit les bagages. Frédéric accompagna son amie à l'étable. Il flatta une dernière fois le dragnard en murmurant des paroles douces et en pleurant.

Bien habillés pour lutter contre le froid, ils marchèrent vers le vaisseau. Frenzo se montra craintif à la vue de ce gros navire volant. Il hennissait et était fort nerveux. Les bonnes paroles de sa maîtresse et l'ingestion de quelques pilules fournies par le médecin finirent par le calmer. La commandeure ouvrit la porte. Le capitaine Prévenu et quelques officiers étaient déjà à l'intérieur. Mélissa s'assit sur un siège adjacent au fauteuil réservé au pilote principal. Elle invita le capitaine à conduire le vaisseau. Il accepta.

À peine une heure plus tard, le vaisseau ralentit sa vitesse. Il survolait les lieux. En se positionnant au-dessus du château, Launa nota l'absence de gardes au rempart et au donjon. Dans une nacelle, elle atterrit sur place avec Frenzo. Un sentiment étrange l'habitait. Elle conduisit son dragnard à l'écurie. Il n'y avait que quelques chevaux et deux dragnards. Le bâtiment était pratiquement vide. Personne ne soignait les animaux. Elle installa son dragnard et donna du foin aux chevaux. Puis, elle se dirigea vers les appartements royaux.

En rentrant au château, elle constata à nouveau l'absence de gardes ou de personnel dans le hall. Les fenêtres n'étaient pas fermées par des volets et encore moins verrouillées contre les intrus. Ces deux faits étaient étranges. Près de ces ouvertures, des amoncellements de neige gisaient ici et là.

Dans la salle principale, aucune bougie et aucun foyer n'étaient allumés, ce qui était fort curieux. Normalement en période hivernale, les foyers étaient maintenus allumés. Ils apportaient une chaleur réconfortante qui se répandait aux étages. Launa remarqua que la grosse horloge de la salle principale était arrêtée. Personne ne semblait s'en occuper. L'air glacial, humide et stagnant la fit frissonner. Elle avança à pas feutrés n'osant crier le nom d'un de ses parents. Il faisait si noir qu'elle redouta de tomber ou pire, de se retrouver face à un inconnu malveillant.

Très doucement, elle traversa le grand hall et monta à l'étage. Encore là, elle nota l'absence de gardes. Au bout du corridor, elle vit une faible lumière. C'était l'aile réservée à ses parents. Elle fut remplie de bonheur. Ses parents étaient là. Elle cogna faiblement à la porte l'amenant à leurs appartements.

– Qui va là ? demanda une voix féminine.

Elle fut soulagée d'entendre une voix.

– C'est moi, la princesse Launa, la fille de notre souverain.

Elle entendit une chaise se renverser et la porte s'entrebâilla. Le visage d'une servante inconnue apparut dans la fente.

— C'est moi, Launa, la fille du roi, répéta-t-elle.

La dame prit un certain temps à la reconnaître. La jolie princesse au visage enfantin était plus mince et plus grande que l'image qu'elle s'en était faite. Elle portait un long manteau de cuir et des pantalons, des vêtements hors du commun.

— Est-ce bien vous la princesse Launa ? insista-t-elle.

— Oui, c'est bien moi.

À demi convaincue, elle la fit entrer dans l'antichambre, un salon agréable où le roi et la reine appréciaient prendre le thé et affectionnaient la vue sur un jardin intérieur. Lorsqu'elle retira son manteau et qu'elle vit ses ailes, la servante douta de son choix. Deux foyers réchauffaient la pièce.

— Mais vous n'êtes pas Launa.

Launa comprit qu'elle faisait allusion à ses ailes.

— Si, vous oubliez que ma mère était une fée et, lorsqu'on naît d'un père hobereau, nous avons tous sans exception l'apparence d'un humain. Ce n'est qu'à un certain âge que certains se transforment en enchanteurs. J'en fais maintenant partie. Mais où est donc ma mère et mon père ?

– Dans la chambre, dit-elle en omettant de lui dire que la souveraine n'était pas là.

– Puis-je les voir ?

– Il est tard, princesse Launa, et votre père est très malade. Pourquoi ne pas attendre à demain matin ?

En entendant le mot malade, elle se précipita vers une porte conduisant à la chambre. Elle l'ouvrit. Il y avait une servante qui veillait sur lui. Son père respirait avec difficulté. Elle s'approcha de son lit. Il était amaigri et ses cheveux avaient grisonné.

– Papa, dit-elle d'une faible voix.

Il ouvrit un œil.

– Launa, chuchota-t-il. Est-ce bien toi ?

– Oui, c'est moi, papa chéri !

– Ma Launa, ma petite princesse, répéta-t-il d'une voix un peu plus forte.

– Oui, papa, c'est bien moi. Je suis revenue.

Il se releva de son lit. Cet effort lui sembla démesuré. Il toussotait, soufflait et transpirait.

— Mais qu'est-ce que tu as papa ?

— Rien, mon enfant. Bien des choses se sont passées lors de ton absence… dit-il d'une voix sifflante.

Il fut secoué par une quinte de toux.

— Maintenant que tu es revenue, tout va beaucoup mieux. Tu vois, je vais me lever pour toi et mettre mes plus beaux habits.

La servante voulut l'empêcher, mais il résista et se leva. Une fois debout, il se remit à tousser avec plus de violence. Il porta sa main à la poitrine. Sa respiration devint haletante et sifflante. Il prit une autre inspiration. Une douleur prenante lui traversa le corps. Il se cambra et s'effondra.

— PAPA, PAPA, PARLE-MOI ! cria-t-elle.

Il ne bougeait plus et ne respirait plus. Tout son corps était mou et sans vie. Ses yeux étaient grand ouverts et fixaient le plafond. La servante pleura. L'autre servante vint la rejoindre. Elle s'agenouilla et mit une oreille sur sa poitrine. Pâle et tremblotante, elle passa sa main sur ses paupières et les ferma. Elle se redressa.

— Princesse, votre père est mort.

— IMPOSSIBLE, C'EST IMPOSSIBLE. JE VIENS DE SI LOIN, CE N'EST PAS POUR LE VOIR MOURIR ! s'écria-t-elle en pleurs.

— Je ne vois qu'une explication, princesse, sa joie était trop grande. Il est mort de joie, dit-elle en essayant de l'enlacer.

Elle la repoussa violemment et se coucha sur la poitrine de son père. Elle pleura. Après un certain temps, elle cessa. Elle demanda où se trouvaient sa mère et les autres membres de la famille. Alors, la première servante lui dit que ce serait là une longue histoire et qu'il vaudrait mieux qu'elle aille se reposer, que demain, elle pourrait entreprendre une visite à son ancien entraîneur, Idrex. Lui, il saurait raconter avec des mots justes toutes les mésaventures de la famille royale. Elle ne bougea pas, elle resta là, étendue sur son père.

La servante la pressa de se coucher dans son lit, prétextant que ça portait malheur de s'assoupir sur un décédé. Launa désapprouva en prétextant que c'était son père. La servante tira sur son bras. Rien à faire, elle ne bougea pas d'un iota, mais la deuxième servante, une fille de paysan forte et bien en chair, la souleva sans peine et l'amena à sa chambre.

— Princesse, vous dormirez mieux dans votre chambre, répéta la servante malgré les coups de poing de la princesse. Foi de Lydia, je vous le promets.

– Mais je ne veux pas dormir, rouspéta Launa.

– Vous êtes exténuée. Une nuit de sommeil vous fera le plus grand bien. Je vais vous préparer une bonne tisane de valériane.

À bout de force, elle se laissa amener. La chambre était froide et sale. L'autre servante secoua les draps et partit un feu dans le foyer. Pendant que le feu prenait de l'ampleur, Lydia déposa la princesse dans son lit et balaya sommairement la chambre. Launa fit semblant de dormir dans son lit. Les deux servantes quittèrent les lieux sur la pointe des pieds rendant la préparation de la tisane inutile.

Toute la nuit, Launa essaya de comprendre ce qui s'était passé durant son absence. Peine perdue. Est-ce le dragon qu'elle avait vu qui avait fait des ravages au pays ? Ou bien une malédiction s'était-elle abattue au château ? Pourquoi sa mère n'était-elle pas là ? Toutes ces questions se bousculaient dans sa tête.

Dès que les premiers rayons du soleil traversèrent la fenêtre, elle découvrit avec horreur l'état lamentable de sa chambre. Des toiles d'araignées s'étaient formées dans tous les recoins. Malgré sa fatigue, elle parcourut le château. La même désolation. Beaucoup de poussière. La salle à manger si accueillante, où s'activaient de nombreux serviteurs le matin, était un lieu désert et crasseux. Elle se dirigea vers la loge de son entraîneur située dans la tourelle nord. Malgré l'heure matinale, il était déjà levé et se préparait du café. Elle cogna doucement contre l'embrasure de la porte ouverte. Il se tourna vers elle. Il prit un certain temps avant de réagir.

– Launa?

– Oui, c'est moi.

– Ma Launa, ma princesse, dit-il en laissant échapper une larme. Comme je suis content de vous voir!

Il ouvrit la fenêtre condamnée pour la saison froide et cria :

– MILA, VIENS VOIR QUI EST LÀ!

La fillette s'approcha du châssis pour la voir. C'est alors qu'il remarqua les ailes.

– Par la barbe des dieux! Vous êtes devenue une fée, comme notre souveraine!

Trop impatiente de revoir la conjointe de son entraîneur, elle n'entendit rien. Mila, qui déterrait dans la neige des topinambours et des carottes, releva la tête. Étonnée et folle de joie, elle accourut à l'intérieur.

– Launa, notre princesse ! s'écria l'épouse. Comme tu as grandi et… tu es plus belle que jamais.

Elle la remercia de tant de gentillesses et s'excusa avec beaucoup de trémolos dans la voix de les déranger à une heure si matinale. Puis, elle raconta en gros son enlèvement et son retour. Elle leur apprit que le souverain était mort en la voyant. Ils furent consternés par l'annonce.

– Nous ferons une cérémonie digne d'un roi, déclara Idrex après un moment de recueillement et de réflexion.

– Mais où sont passés ma mère et tous les autres ?

– C'est une longue histoire à vous raconter. Grosso modo, votre père a en quelque sorte perdu la carte.

– Je ne comprends pas, dit Launa.

L'entraîneur l'invita à déjeuner et à l'écouter. Il raconta que le souverain s'impatientait envers quiconque le contrariait. Il conta :

– Notre bon roi a demandé à sire O'Neil Dagibold de vous retrouver. Désespéré de ne pas avoir des informations la journée même, il s'en est pris à sa famille. Il a ordonné que tous les membres de la famille soient pendus.

Launa fit signe d'arrêter. Sanglotant, elle s'étonna du comportement de son paternel. Après avoir essuyé des larmes sur ses joues, elle se ressaisit et lui demanda de poursuivre. Idrex continua le récit. Il raconta comment le roi avait rendu misérable la vie de ses enfants et de la bonne Morina. Étant donné les circonstances, Naura et Éloy n'avaient d'autres choix que de fuir. La souveraine avait facilité leur départ, ce qui avait poussé le roi à vouloir pendre son épouse pour traîtrise. Elle avait réussi à fuir en compagnie d'une des servantes. Wilbras VI avait constitué une armée et était parti à sa recherche pour la ramener au donjon. Depuis ce temps, plusieurs serviteurs sont retournés chez eux et il ne reste plus qu'une poignée de servantes. Bien qu'elles aient désiré quitter, elles n'avaient nulle part où aller.

— Mais ceci ne dit pas où est ma mère, Naura et mes deux frères ?

— En effet, nous ignorons où ils sont tous. Aucun homme de l'armée n'a été revu.

Elle n'avait pas faim. N'était-elle pas responsable de tous les malheurs qui s'étaient abattus au pays ? Et puis, ce dragon qu'elle avait vu. Elle n'avait pas rêvé. Il était avec le fils cadet d'O'Neil Dagibold.

– Et Andrick ?

– Le fils d'O'Neil Dagibold ?

– Oui.

– Nous ignorons où il se trouve.

– Et le dragon ?

– Quel dragon ? Il n'y a pas de dragon à ce que je sache, affirma Mila.

– Et pourtant, j'en ai vu un, dit la princesse.

– Impossible. Sans vous offusquer, princesse, les dragons ont disparu depuis 150 ans, dit Idrex. Vous devez être fatiguée et votre imagination vous trompe.

Elle aurait voulu lui parler des circonstances de la vision de ce magnifique dragon rouge, mais c'était au-dessus de ses forces. Elle se contenta d'approuver son raisonnement.

– Vous avez raison, Idrex. Trop d'émotions et trop de nouvelles m'ont sûrement affectée.

— Mangez un peu de ce bon ragoût, suggéra Mila. Vous avez besoin de vous fortifier.

Elle prit une cuillerée. Le bon goût de ce mets lui rappela de bons moments vécus et elle pleura.

Idrex organisa les funérailles. Il commanda un cercueil aux gens de Verdôme où de beaux et solides chênes poussaient. Au lieu des fleurs fraîches inexistantes en cette période hivernale, il fit préparer des gerbes de fruits et fleurs séchées et des couronnes de houx aux gens de Pomrond, le royaume le plus près du château Mysriak. Il en profita pour leur demander d'annoncer la mort du roi et d'effectuer une recherche de la famille royale. Quatre hommes se présentèrent à lui. Caius surnommé le fouineur, un homme curieux et volubile dans la quarantaine, Hubert, plus jeune, plus mince et le plus timide du groupe, Vigor, un homme bien charpenté et Olivon, le plus débrouillard de la troupe. Ceux-ci acceptèrent, moyennant un dédommagement. Idrex puisa dans ses maigres économies et leur donna quelques écus d'or.

La plupart des royaumes comportaient peu d'habitations. Par exemple, le domaine des Charmes situé au sud du pays n'était habité que par un seul enchanteur, Éxir. Idrex jugea que le domaine des Charmes et le royaume Dragroux étaient trop éloignés et trop risqués à visiter en hiver. Il leur demanda de diriger leur recherche là où la population était la plus nombreuse. Il insista pour qu'on retrouve la famille Dagibold et qu'elle soit invitée aux funérailles.

Le groupe de quatre hommes voyageant sur des dragnards se dirigea vers le nord et ils survolèrent le domaine des Forges, le Verdôme et le domaine Dagibold. Ensuite, ils poursuivirent leur recherche vers l'ouest, vers le domaine du Verger de la Pomme d'Or. Ils revinrent bredouilles au bout de trois jours de voyage. Aucune trace d'un des membres de la famille royale, ni même de la famille Dagibold. Idrex insista pour connaître leurs observations. Ils expliquèrent que les deux derniers domaines avaient été détruits par le feu.

– La foudre ? demanda Idrex.

– Non, sire, répondit Vigor, c'est un feu volontaire accompli par la volonté d'un hobereau ou d'un enchanteur.

– Comment pouvez-vous l'affirmer ?

– De fait, déclara Caius, sans être enquêteur, ni un spécialiste, je dirais que le feu a été mis par un hobereau, peut-être même par l'armée de Wilbras VI. J'y ai vu un nombre impressionnant de branches cassées indiquant le passage d'une troupe chevauchant des dragnards. De plus, de nombreuses torches à demi consommées étaient éparpillées ici et là près des bâtiments brûlés. Heureusement, les chevaux et les dragnards n'étaient plus dans les écuries. Quelqu'un a dû avoir eu pitié de ces bêtes, et au lieu de les immoler, il les a libérées.

– Les pauvres animaux étaient amaigris et souffraient de froid, poursuivit Vigor. Nous avons eu pitié de ces nobles animaux et avons construit des abris sommaires avec des branches et des poteaux à moitié calcinés. Aussi, nous les avons nourris grâce à des caches que les Dagibold construisaient en cas d'un hiver long et pénible en forêt, non loin de leur domaine. Je crois que nous en avons fait suffisamment pour qu'ils survivent jusqu'au printemps.

— C'est terrible, sire, pourquoi a-t-on incendié leur demeure? demanda Hubert d'une voix empreinte d'empathie.

— Je me souviens comment le roi, dès les premiers jours de l'enlèvement de Launa, comment il n'était... hésita Idrex, pas normal. Il avait demandé à O'Neil Dagibold de retrouver sa fille. C'était une mission irréalisable lorsqu'on sait que ce sont des êtres supérieurs à nous qui l'avaient enlevée. Il a donné l'ordre à son fils d'exterminer la famille Dagibold et lui, trop obnubilé par le pouvoir, n'a pas hésité à saccager leurs biens.

— Moi, je peux affirmer, dit Olivon, que lorsque Wilbras VI est venu chercher des hommes à notre royaume, il était survolté, un peu comme un homme mordu par un raton-laveur enragé. J'étais heureux qu'il ne me m'ait pas choisi. Je suis trop maigrichon, moins qu'Hubert, tout de même.

— Et moi, compléta Vigor, j'étais dans les champs en train de récolter les dernières pommes.

— J'ai eu de la chance de ne pas être choisi, ajouta Caius. Wilbras VI a pris une quarantaine d'hommes de par chez nous et, depuis ce jour, nous ne les avons plus revus.

— Plus aucun enchanteur chez nous, chuchota Hubert. Ils sont tous partis comme des oies en automne vers le sud.

— Pauvre Launa, dit Idrex, ce sera des funérailles intimes.

Launa tomba dans un état comateux. Elle regrettait presque d'être revenue. Elle divaguait et murmurait sans cesse les noms de son père et de sa mère, d'Andrick, de Nina, de Frenzo, de Mélissa et de Frédéric. De temps en temps, elle se redressait, discourait sur tout et rien à la fois et finissait en réclamant sa mère. Les deux servantes firent de leur mieux pour la soulager. Lydia affolée informa l'entraîneur de l'état alarmant de la princesse.

Dans ces cas extrêmes, il n'y avait que deux choses à faire : une fée ou un magicien commandant au corps du malade de rétablir les fluides ou l'application d'eau guérisseuse. Wilbras VI, avant de partir, avait détruit les urnes du château contenant cette eau précieuse. Bien que les villageois aient leur propre réserve, il était hors de question de la partager, puisque les déplacements en hiver étaient jugés trop dangereux et ainsi, ils risquaient d'en manquer avant la venue du printemps.

Idrex ne vit qu'un seul homme qui puisse accomplir cette tâche. Il mandata Vigor pour aller le chercher. Il dut faire vite puisque le temps clément des derniers jours prenait fin et que le corps du roi, maintenu dans une des chambres les plus froides du palais, n'était pas de température assez basse pour arrêter l'état de putréfaction. De multiples gerbes de sauge, de lavande et d'encens brûlaient jour et nuit pour masquer cette odeur nauséabonde.

Deux jours plus tard, Vigor parvint au palais juste à temps. Une tempête d'une rare violence s'abattit. D'horribles sifflements parvenaient par les fenêtres condamnées et calfeutrées de crins de cheval. L'eau guérisseuse fit son effet immédiatement.

À peine sortie de son coma, elle écouta Idrex lui expliquer une étape importante à effectuer dans l'heure qui venait sans le soutien de sa mère, de ses frères et de sa sœur.

Supportée par Idrex et Mila, elle se rendit à la sépulture de son père. Elle le vit dans ses plus beaux vêtements et parures. Elle toucha sa main et frissonna à son contact. Elle se recueillit et se releva. Idrex avait rassemblé une cinquantaine d'habitants. Vigor et trois autres hommes prirent le cercueil et l'amenèrent en dehors du château, dans un hypogée situé à l'arrière de la demeure royale. Une procession se forma et, malgré le blizzard, ils se rendirent aux portes de la construction souterraine où reposait toute la monarchie du royaume Mysriak depuis 150 ans. Lorsque le groupe pénétra, les lieux avaient été nettoyés et de nombreux cierges illuminaient l'endroit. Les corps de ses ancêtres reposaient dans des cercueils de bois de charmes, d'érables et de chênes sur des tablettes en marbre blanc. Les noms étaient gravés sur des plaques de cuivre et Launa s'écroula en larmes en voyant la plaque identifiant le nom de son père. Désormais, il reposerait à cet endroit pour l'éternité.

Dans l'après-midi, toute seule dans sa chambre, elle entendait les hurlements du vent et les craquements de la structure du toit. Elle n'avait qu'une idée en tête, trouver d'abord sa mère et ensuite les jumeaux Dagibold. Le temps la clouait sur place. Elle prit le temps de visiter son seul ami, son dragnard Frenzo, et de le brosser.

Sur l'heure du souper, il y eut un moment de panique au château. Launa avait disparu. Les servantes et Idrex la cherchèrent partout. Vers 20 h, il fut heureux de la trouver endormie à l'écurie avec son dragnard.

CHAPITRE 19

LA LETTRE DE DÉPART

– Tu y es allé un peu fort, affirma Inféra en s'adressant à Picou. Je crois que le roi est vraiment en furie contre nous.

Picou la regarda d'un air supérieur et répondit à cette affirmation :

– Il a eu ce qu'il voulait.

– Je crains que ce soit le cas. Je croyais pouvoir l'embrasser et partir en paix, soupira Adora.

Le magicien se dégonfla et s'attrista.

– Désolé, mais il m'a mis dans une telle colère que je ne voyais pas d'autres solutions.

Après tout, nous avons payé chèrement une soirée qui a fini en queue de poisson.

La jeune fée, qui savourait une brioche au miel, s'en réjouit et se sentit d'attaque pour en dévorer un deuxième.

– C'est bien fait pour lui, il était fait comme un rat, ironisa Nina.

– Il ne se doutait pas qu'on disait par chez nous que les magiciens sont éveillés et rapides comme des rats, gloussa Andrick.

– Hé, arrêtez de vous payer ma tête ! dit Picou offusqué.

– Oh ! on ne peut pas dire qu'hier soir, on s'ennuyait comme un rat mort, le spectacle de sons et lumières était au poil, pouffa Arméranda.

– J'ajouterai, dit Inféra surprise de vouloir jouer le jeu, à bon chat, bon rat, que votre souverain n'était pas à la hauteur…

Elle ne finit pas sa phrase. Elle oubliait que le souverain, c'était le père d'Adora et celle-ci ne riait pas.

– Bon, je crois que les railleries ont assez duré, conclut Waldo. Oui, Inféra, ta dernière remarque est justifiée : à bon chat, bon rat, ce qui signifie que le roi aurait dû être de force égale avec Picou. Une chose est sûre, notre souverain cherchera à se venger !

Il va falloir être discret et surtout sur nos gardes.

– Il nous faudra fuir comme des traîtres, compléta Adora en soupirant.

– Désolé, mille fois désolé, s'excusa Picou.

– Non, tu as fait ce que ton cœur t'a dicté. C'est la stupidité de mon père qui a eu raison. Il se pense d'une race supérieure.

– Tu es d'accord avec nous ? demanda Arméranda.

– Bien sûr, chaque être a sa raison d'être, que ce soit le simple ver de terre qui rampe jusqu'à nos magnifiques oiseaux qui nous transportent.

– Charmant d'être comparé à l'utilité d'un ver de terre, dit Picou.

– Bon, je crois qu'il est inutile d'en ajouter davantage, termina Waldo. Aucune parole ne saura nous consoler des faits et des gestes de notre souverain. Allons, préparons notre partance.

C'est dans le silence qu'ils firent leurs bagages et descendirent jusqu'au rez-de-chaussée. La grande salle et le hall étaient déserts. Le roi avait ordonné à tous ses sujets, ainsi qu'à son épouse et à sa fille, de demeurer dans leur chambre et de ne démontrer aucun sentiment. Adora parcourut les lieux en espérant repérer un des membres de sa famille. Tout près de cette salle, il y avait une petite pièce circulaire où sa mère y flânait pour lire et pour écrire, lorsque le souverain avait des audiences ou remplissait de la paperasse à leur appartement. Adora saisit cette chance pour écrire une lettre de départ.

— Ma douce, qu'est-ce que tu fais ? demanda Waldo en la voyant déposer ses bagages.

— Ils ne savent rien pour Galdor, donne-moi une minute !

— Je comprends, ma bien-aimée. Je t'attends à l'écurie, fit-il en lui soufflant un baiser.

Chers père et mère,

Voici le temps pour moi d'accomplir une dernière étape : retrouver les autres porteurs et libérer ce dragon que j'ai aimé, que le peuple a affectionné et qui nous a apporté la prospérité. Cher papa et chère maman, je n'ai pas eu la chance de vous serrer dans mes bras avant mon départ, de vous dire combien je vous aime et de vous remercier pour toutes les bonnes attentions.

Aussi, je n'ai pas eu le temps de vous apprendre une nouvelle qui vous attristera. Mon bien-aimé frère, votre bien-aimé fils Galdor est décédé, tué par les Douades, au moment même où il désirait rentrer de voyage. Cette triste nouvelle nous a été révélée par nos visiteurs qui ont rencontré son esprit. Il vous transmet son amour et vous dit de ne plus vous inquiéter pour lui.

Son retour n'étant plus possible, je crois qu'une cérémonie à son honneur serait très appréciée, car son âme est encore sur terre et demande la libération de ses liens terrestres.

Tout comme lui, je dois me libérer non pas de mes liens terrestres, mais de mon dragon. Je ne connais pas le futur et j'ignore si cette tâche s'accomplira sans heurt et encore moins si elle sera réussie. Je vous demande de bien vouloir transmettre des ondes positives, à moi et à mon bien-aimé, pour cette mission. J'espère revenir dans les jours prochains et que vous serez là pour me recevoir dans de bonnes grâces, moi et mon bien-aimé Waldo.

De votre fille qui vous aime tant et qui vous chérit,

Adora

Elle glissa la lettre dans une enveloppe et la scella. Elle l'adressa à ses parents et rejoignit la troupe.

Ce n'est qu'une heure plus tard qu'Elwing passa à son bureau. Reconnaissant l'écriture de sa fille, elle s'empressa d'ouvrir la lettre. Elle la parcourut d'un trait en ne saisissant pas la portée de l'information concernant son fils. Le terme décédé ne collait pas à sa réalité. Il était impossible que son fils soit décédé avant elle. Elle relut et assimila l'information. Elle s'effondra.

Elle comprit que sa fille cadette risquait de connaître le même sort. Elle regretta de n'avoir rien fait pour empêcher son départ. L'annonce du décès de son fils à Glorfindel sera aussi dévastatrice pour lui que pour elle. Elle craignit que cette nouvelle ne le chagrine et ne l'emporte.

CHAPITRE 20

LES GARDES DU CORPS

Le lendemain des funérailles, elle alla retrouver Idrex.

– Ta décision est prise, fit-il d'un air soucieux.

– Oui, je veux retrouver ma mère.

– Je vous comprends. Je n'ai qu'une recommandation. Faites attention à votre frère! Sous le conseil du roi et d'après les explications des serviteurs présents, il était investi d'une mission : pendre votre mère, votre sœur et la famille Dagibold. Je crois bien que votre mère est sauve grâce à sa magie.

— La magie. J'aimerais bien connaître mes pouvoirs et jeter un mauvais sort à cet oiseau de malheur qu'est mon frère.

— Vous êtes ma princesse. Je ne vous veux que du bien. La méchanceté et la vengeance ne sont pas des sentiments nobles. De même que la magie ne résout pas tout.

— Je le sais. La technologie tout comme la magie peuvent améliorer le sort de l'humanité.

Idrex ne comprit pas cette référence. De quoi parlait-elle ? La teck... technologie, drôle de mot. Il remarqua qu'elle avait à son cou le diamant étoilé donné avant la compétition de dragnards.

— Chère princesse, vous avez encore le bijou de mon arrière-grand-mère ?

Launa rit avec nostalgie.

— Oui, tu avais raison. Il m'a porté chance. J'ai cru que ce n'était qu'une pacotille, il est si petit. Lors de la course, il m'a donné confiance. Ah ! si j'avais su que c'était les derniers moments de paix, j'aurais savouré chaque petite minute. Mon enlèvement a vraiment semé la désolation au château.

— Plusieurs sont morts ! Entre autres, Maggie.

– Maggie, ma Maggie! geignit la princesse.

– Oui, Maggie a été sensationnelle. Grâce à ses actions, elle a libéré votre mère… malheureusement, il y a eu un prix à payer.

– Elle a été tuée? supposa la jeune fée.

– Oui.

– Par qui?

– Votre frère.

Le cœur de Launa éclata en mille morceaux. Son propre frère avait tué sa servante si enjouée et si avenante.

– Mais pourquoi? Elle n'a jamais rien fait de mal, même pas à une mouche!

– Ton frère visait avec son épée notre souveraine. Maggie s'est jetée au-devant de votre mère et a reçu l'arme en plein milieu du dos.

– Comment savez-vous tout ça?

– Un garde m'a tout raconté avant de déserter l'armée. Il se cache dans les forêts et dans les villages puisqu'il est recherché comme traître.

– On ne sait pas trop ce qui est arrivé à l'armée, poursuivit Idrex, nous n'avons plus de nouvelles depuis un mois. Est-ce que l'hiver a ralenti sa course? Est-ce que Wilbras VI tient notre souveraine comme prisonnière? Tant de questions sont sans réponse.

— Je ne désire qu'une chose, le retrouver et lui arracher la tête! s'emporta-t-elle.

— Vous oubliez qu'il est à la tête d'une armée.

— Justement, c'est ces deux têtes-là que je veux.

— Allons, réfléchissez! Oubliez-le, pensez à votre mère. Je crois qu'il faut s'entourer de bonnes gens. J'ai pensé à Vigor, un homme fiable et fort, à Caius, un esprit fin et curieux, ainsi qu'à Hubert et Olivon, tous les deux jeunes et vaillants. Ils feront tous les quatre de bons gardes du corps dévoués. Dernièrement, je les ai testés et ils n'ont pas hésité à accomplir toutes les tâches demandées. Deux autres personnes se joindront à vous. Je les ai contactées et elles sont prêtes à vous suivre.

— Qui donc? demanda Launa.

— Zémée et Barbiel.

Elle se rappelait très bien Zémée, la fille d'Olibert du domaine des Forges. Elle se souvenait aussi des magnifiques étriers ciselés de colibris. Pour Barbiel, le souvenir était plus vague.

– Babichou, il s'appelait, dit Launa heureuse de se remémorer le nom du dragnard à long poil blanc de Barbiel.

– Exact, confirma Idrex, une très belle bête.

CHAPITRE 21

LE DOMAINE DES ELFES NOIRS

La troupe observa le changement remarquable de la végétation. La couverture végétale prit une teinte rougeâtre et le ciel si bleu, une coloration grisâtre. Un vent glacial du nord-est soufflait intensément. Ils pénétrèrent dans une écurie bien chauffée et bien éclairée. Andrick et sa troupe remarquèrent le bon soin apporté aux animaux. Tout était propre et ordonné. Waldo poursuivit ses explications :

— Les courants d'air sont inversés. Le doux vent du sud-ouest a été remplacé par un vent puissant venant du nord. Il longe les montagnes et s'attarde dans notre pays durant trois longs mois, apportant blizzard, vent et neige.

– Oui, curieux que ce changement se fasse de façon si drastique, dit Arméranda.

– La beauté de la chose, c'est que ce système est très régulier, informa Adora. Comme vous le voyez, nous avons eu le temps de nous préparer. Les récoltes sont ramassées, les fenêtres, habillées de lourds rideaux, et nous portons des vêtements chauds.

– J'admire vos manteaux de fourrure, nota l'Elfe. Nous n'avons pas développé cette expertise.

– L'expertise vient d'un seul peuple, celui des Anciens, précisa Nina. Arméranda en fait partie et, grâce à elle, nous avons reçu ces super manteaux.

– Il est grand temps de partir, fit Adora en grimpant sur un yokeur.

Une fois bien installée, elle ajouta avec un trémolo dans la voix :

– Partons avant que je ne le regrette.

Tous l'imitèrent. En quelques battements d'ailes, le groupe s'éleva dans les airs. Les elfes ne regardèrent pas derrière. Andrick jeta un coup d'œil et remarqua la souveraine leur envoyant la main par une des fenêtres de son bureau. Il n'en glissa pas un mot de peur d'attrister davantage la porteuse du dragon vert.

Ils survolèrent les terres cultivées. Il n'y avait pas une âme qui vive dans les champs. Les terres, si verdoyantes et chargées de légumes et de céréales, étaient maintenant labourées et exemptes de végétaux. Les arbres fruitiers, si colorés, perdaient de leurs feuilles. Le tapis de plus en plus rouge de la végétation ajoutait une note de gaieté.

Ils volèrent au-dessus d'une forêt et, au bout d'une heure, un château bien établi apparut. Ils descendirent et se posèrent sur une zone aménagée. Pour la première fois, les jeunes dragnards volèrent de leurs propres ailes. Toutefois, les dernières 10 minutes furent de trop. Ils atterrirent en catastrophe et se roulèrent sur le côté, la langue pendue et les pattes en l'air. Ils avaient maintenant un bon poids de vingt kilos. Inquiets de leur atterrissage, les jumeaux les examinèrent et constatèrent qu'ils se portaient bien. Ils hennirent et restèrent dans une position de détresse. Ils jouaient le jeu d'animaux souffrants, ce qui les fit rire et détendit l'atmosphère du groupe.

La demeure était de taille beaucoup plus modeste que celle de la famille royale. Ce qui détonnait le plus, c'est qu'elle n'était pas entourée de remparts, ni d'aucune résidence dans les environs ni de terres cultivées.

– Wow ! Une petite résidence de campagne, badina Nina.

– Non, c'est ma résidence et c'est le domaine le plus puissant, répondit-il d'un ton sérieux, ignorant qu'elle le taquinait.

– Le plus puissant !? s'étonna Picou, mais seigneur Waldo, je ne vois qu'un château, pas de propriétés, ni de…

Il s'interrompit à la vue de deux personnes venant à leur rencontre. Tous émirent un oh de peur et se mirent sur la défensive, sauf le propriétaire du château et sa compagne. Même les dragnards commencèrent à hennir et à gratter le sol comme pour les intimider. Ils avaient la peau noire et les cheveux blancs. Adora et Waldo se regardèrent, intrigués par leur comportement.

– Mais ce sont mes serviteurs, fit l'Elfe en rigolant. Je vous présente Gondolin et sa conjointe, Tintallë.

Comme personne n'osa bouger, Adora blagua :

— Venez ! Ils ne vous mangeront pas. Je vous croyais plus ouvert d'esprit.

Cette phrase désamorça leur garde.

— C'est que nous n'avons jamais vu des gens ayant la peau noire, dit Andrick. Elle est vraiment noire.

Comme ils étaient bien habillés et qu'on ne voyait que leur tête, Nina se risqua à une question indiscrète.

— Est-ce qu'ils sont noirs de la tête aux pieds ?

Ce qui fit bien rire les quatre Elfes.

— Les Elfes noirs sont noirs, qu'avez-vous donc cru ? demanda Waldo.

— Qu'ils avaient les cheveux noirs ou portaient du noir, répondit Nina.

— D'accord ! Allez, rentrons. Ce voyage m'a creusé l'appétit. Il y a toutefois un inconvénient, à l'intérieur, nous avons beaucoup de petits Yorkies. Désolé pour votre ami Picou, il devra se cacher s'il ne veut pas être dévoré.

Le concerné grogna.

— Pourquoi cette fascination pour cette race de chiens ? demanda Andrick. Chez nous, les chiens ne rentrent jamais à l'intérieur des demeures. Par contre, les dragnards y sont admis. Au palais de Mysriak, même les grands dragnards sont acceptés.

– Nous les adorons, renchérit Nina. Mon père est un grand éleveur et notre famille a créé plusieurs espèces de dragnard. Nous en avons de la grosseur d'un chat, ce sont des dragnards de compagnie.

– Ce sont eux qui dévorent la vermine ? questionna l'Elfe en ouvrant toutes grandes les portes de sa résidence.

– En effet, répondit Nina.

Le château était totalement différent de celui des souverains. Il y avait moins de décorum : pas de haie d'honneur et pas de petites génuflexions à faire. Ils traversèrent un hall de dimensions modestes et pénétrèrent dans un salon de dimensions beaucoup moins imposantes que dans la demeure d'Adora. En général, les pièces étaient plus petites et moins hautes. Plutôt que d'être lancéolés, les arcs étaient bas et ronds. Sur le sol, des tapis amortissaient l'impact des pieds sur les pierres rugueuses et dures. Ils furent accueillis par huit petits yorkshires allant du blanc pur à des bruns et beiges. L'un d'eux alla coller sa truffe sur la jambe de Nina qui le prit dans ses bras. Waldo parla à quatre autres serviteurs en leur donnant une liste d'activités à réaliser pour bien recevoir ses invités.

– Ils sont charmants, affirma-t-elle.

– Et surtout, très utiles, dit Adora. Ils éliminent les indésirables.

– Mais moi, cria Picou du fond d'un sac bien fermé, je ne suis pas un indésirable. Je ne peux pas rester caché dans ce sac toute la journée. J'étouffe !

Waldo sourit.

– J'ai une solution qui devrait plaire à sire Picou.

Il se dirigea dans une pièce adjacente au salon et en revint avec une ancienne cage à perruche. Il l'invita à prendre place à l'intérieur de cet enclos fermé. Il s'installa. Inféra prit l'objet et vit un Picou découragé.

– T'en fais pas, c'est juste une mauvaise passe, dit-elle pour le rassurer.

Ce commentaire le fit grogner de plus belle.

En arrivant dans la salle à manger, la table était dressée. De chaque côté d'un bol évasé en bois vernis, pouvant servi de bol à soupe et d'assiette, s'étalait une coutellerie minimale : un couteau, une fourchette et une cuillère. Des énormes plats de service, garnis de grillades de cerfs et de légumes, trônaient au centre. Une bonne odeur s'en dégageait.

– De la viande, dit Arméranda. Miam ! miam !

– Je vois que nous avons des amateurs de bonne bouffe, rit Waldo. Ici, dans le nord du pays, nous consommons de la viande et des légumes racines, tandis que dans les terres, les gens consomment des fruits, des légumes ainsi que des céréales, où ils sont en abondance. Dans les régions côtières, la population raffole des fruits de mer et du poisson.

– Ah ! Je vois. Chaque région a ses particularités, dit Inféra en déposant la cage sur la table.

– Oui, une nourriture adaptée aux conditions climatiques et au sol.

– C'est pour cette même raison, renchérit Arméranda, que nous mangeons beaucoup de viande. En montagnes, la culture de céréales, de légumes et de fruits est très limitée.

– Y aurait-il du vin, dit Picou ? Hier, je n'ai pas eu la chance d'en déguster.

– Pour les inconvénients qu'apportent mes chiens, j'ai un excellent vin, dit l'Elfe en passant un doigt dans le grillage.

Plusieurs serviteurs vinrent les servir et la soirée fut agréable. Waldo expliqua le travail exigeant des Elfes noirs œuvrant dans les mines et l'utilité des yorkshires à accompagner leurs maîtres dans ces lieux sombres.

– En plus de débusquer les rats et autres vermines, ce sont des bêtes amusantes et distrayantes lorsque les miniers s'ennuient ou ont des idées noires, blagua Waldo.

Il poursuivit en expliquant que, grâce à eux, ils se concentraient sur l'extraction du charbon, le seul combustible du pays, au lieu de perdre du temps à pourchasser les indésirables. Étant donné que cette ressource est concentrée à un endroit, le domaine est considéré comme la propriété la plus riche malgré que, de l'extérieur, on n'y voit qu'un château. De plus, les Elfes noirs préfèrent dormir sous terre plutôt que hors terre.

Lors du repas, Picou s'habitua à sa cage et mangea en toute sécurité. Il rit même des petites plaisanteries concernant sa volière.

– Tu vois, dit Nina, tu en as de la chance de vivre dans une aussi belle cage dorée.

– De fait, c'est la plus belle cage que je n'aie jamais eue! Il faudra l'apporter. Je me sens à l'abri.

— Vraiment ? demanda Inféra.

— Ouais, sur le coup, je trouvais ça bien imbécile d'être dans une cage, mais j'y prends goût. Il ne manque qu'un petit sofa et des coussins, fit-il en s'allongeant sur le sol grillagé.

Tous pouffèrent de rire.

— Je crois, dit Waldo, que je peux trouver chez moi des bouts de tissu qui te serviront d'ameublement.

— Ah ! ce ne sera pas nécessaire, dit Picou en faisant apparaître un fauteuil et un pouf.

CHAPITRE 22

UNE VUE SUR L'OCÉAN

Trois jours après les funérailles, Launa accueillit avec joie les deux compétiteurs de la course aux dragnards. Zémée et Barbiel furent éblouis par les ailes de la fée et étonnés qu'elle ne sache pas faire des tours de magie.

– Je suppose que la magie ne se transmet pas juste en possédant des ailes, dit-elle.

– Ah zut ! dit Barbiel, vous n'êtes même pas capable de faire apparaître une tasse de chocolat chaud.

— Non, répondit-elle, même pas. Mais si tu en veux, je peux en demander à une de nos servantes.

Ils se dirigèrent vers les cuisines. Les servantes leur servirent des breuvages chauds et des tartines au fromage de chèvre.

— Ça fait drôle de voir le château vide, constata Zémée. Dire que, quatre mois plus tôt, je concourais contre vous, ma princesse, et que mon père était vivant. Il a été sauvagement exécuté par le prince Wilbras VI pour insubordination. Quelle injustice !

— Ton frère a… voulu… continua Barbiel.

— Ne m'en dites pas plus. Toute cette histoire me chavire. Tout ce que j'espère, c'est que ma mère soit encore vivante.

Sur les entrefaites, Idrex fut heureux de les retrouver aux cuisines.

— Princesse, je vous cherchais. Le temps est magnifique et tout est prêt pour le voyage. Les bêtes ont été brossées et bien nourries.

Puis, il fit ses recommandations, celles de filer tout droit vers les Charmes, où il supposait que sa mère était, et de partir dès que possible. Après le déjeuner, les quatre hommes et les trois jeunes adolescents se retrouvèrent à l'écurie. Elle demanda à Vigor, celui qui semblait être le plus en charge de la troupe :

– Ne pouvons-nous pas arrêter voir le domaine des Dagibold ?

– Si la princesse le désire, nous nous plierons à cette exigence.

– En fait, sire Vigor, je le désire.

Quelques heures plus tard, ils arrivèrent au manoir rasé par le feu. O'Neil rafistolait l'enclos temporaire de ses bêtes et Melvin ramassait des pièces de bois à moitié carbonisées. Lorsqu'ils virent le groupe de dragnards, ils soupçonnaient que c'étaient de bonnes gens. Wilbras VI n'était plus en état de nuire et l'armée s'était dissoute. O'Neil fut le premier à reconnaître la princesse. Il s'avança vers elle, mit un genou à terre et lui baisa la main. Entretemps, le reste de la troupe laissa la princesse en tête-à-tête avec les deux seules membres présents de la famille Dagibold. Zémée et Barbiel portèrent leur attention et affection à un groupe de dragnards miniatures.

– Princesse Launa, vous voilà revenue. Quel soulagement, notre souverain doit être des plus heureux ! Il attendait votre venue depuis des lunes, dit O'Neil.

— Relevez-vous, sire. Hélas ! Son bonheur fut de courte durée. Son pauvre cœur n'a pu contenir cette joie trop grande. Il s'est emballé et mon père chéri s'est effondré quelques minutes après mon arrivée, soupira Launa en retenant ses larmes.

O'Neil et Melvin ne comprenaient toujours pas la signification des propos de Launa. Ils restèrent impassibles devant cette affirmation. Vigor l'exprima plus clairement :

— Le roi est mort.

— Le roi est mort ? demanda O'Neil, incrédule. Alors, qui gouverne le pays ?

— Bonne question, renchérit la fille du souverain en marchant. Qui gouverne ?

Ce qu'elle vit ne lui plaisait pas. Le manoir et l'écurie avaient été incendiés. Une partie des murs de pierres et la cheminée se tenaient encore debout. Certaines dragnardes avaient mis bas et s'étaient réfugiées dans un des recoins. Les petits étaient chétifs. Dans un autre coin, elle reconnut ceux qui avaient participé au spectacle avant la compétition, lors de son onzième anniversaire de naissance. Ils étaient frigorifiés et se tenaient en boule près d'un feu. Au centre de ces ruines, autrefois un lieu paradisiaque pour la famille Dagibold, Melvin alimentait le feu de planches calcinées, des éléments qui, jadis, faisaient partie de cette belle construction.

– Princesse Launa, fit Melvin en s'inclinant vers elle, lors de votre absence, votre frère a fait de graves dommages ici, au Verger de la Pomme d'Or, au domaine des Charmes et a assassiné de nombreuses braves gens.

– Je sais, sire Melvin, et j'en suis bien chagrinée. Qu'en est-il de ma mère, la souveraine ?

Le teint de Melvin s'éclaircit et il déclara :

– Votre mère va bien, très bien même. Elle a eu la merveilleuse idée de changer votre frère en bourrique.

– En bourrique, dit Launa dubitative, en âne…

– Oui, princesse Launa. Depuis ce temps, l'armée s'est volatilisée et elle ne fait plus de dommage.

« Si jamais je deviens reine, se dit-elle, jamais je ne ferai d'autant d'idioties. Mon frère a eu ce qu'il méritait. »

– Mais, le domaine des Charmes a été incendié, m'avez-vous dit ?

— Hélas, oui, répondit Melvin.

— Mais alors, où vivent ma mère, Éloy et Naura ?

O'Neil prit la parole et raconta qu'Éxir avait eu vent des actions maléfiques de son frère et avait fait construire un château, grâce à tous les enchanteurs du pays, sur l'océan, un endroit inaccessible à cette armée dirigée par son frangin. L'emplacement de cette imposante résidence était sur les plages mêmes du domaine des Charmes.

Impatiente de revoir sa mère, elle les remercia de leur accueil chaleureux. Le groupe partit en direction du château sur l'océan. Elle n'allait pas retrouver sa mère, puisqu'O'Neil et Éxir ignoraient que les enchanteurs et les autres invités avaient quitté les lieux pour s'installer au Collège de la magie.

Quelques jours auparavant, Morina ne pouvait s'expliquer une douleur lancinante au cœur qui perdurait. Une grande angoisse l'attristait. Elle pressentit qu'une connaissance venait de mourir. Elle demanda à Éxir de consulter la pierre savante qui avait été encore une fois déplacée. Elle était maintenant située dans une des salles de conférence du Collège de la magie. Regroupés autour de la pierre, ils explorèrent où en étaient rendus les chevaliers du Dragon rouge. Ils étaient trop loin et aucune information ne leur parvenait.

– Peut-être que l'explication de cette douleur provient d'une connaissance au château Mysriak ? demanda-t-elle à Éxir.

Il s'empressa de diriger sa recherche. Il en resta bouche bée.

– Une fée est au château dans vos appartements ! dit-il interdit. C'est impossible. Tous les enchanteurs sont ici.

Elle vit son conjoint sortir du lit, tousser et s'écrouler au sol. La jeune fée se jeta sur lui. La souveraine l'identifia tout de suite. Elle s'écria :

– Mais c'est ma fille, Launa ! Elle est vivante. Mais… on dirait… qu'elle est étendue… sur Wilbras.

La pierre savante zooma. Elle vit les servantes, Lydia et Marina, près d'elle. La première la souleva et la transporta dans ses bras. De toute évidence, le souverain s'était effondré et ne bougeait plus. Morina fut partagée entre des sentiments de soulagement et de peine. Elle en déduisit que son mari était mort foudroyé par une trop grande joie. Éxir voulut la consoler, mais ce n'était pas approprié. Son conjoint venait à peine de rendre l'âme.

— Launa est vivante, réussit-elle à prononcer. Ma Launa est parmi nous. C'est une jolie fée!

— Qu'allons-nous faire? demanda Éxir. Devons-nous nous rendre aux funérailles?

— Le temps est incertain, je crois que c'est un signe du ciel pour que je demeure en ce lieu. Nous préparerons une cérémonie ici en son honneur pour ma fille aînée et Éloy.

— Et pour ton fils Wibras, le junior?

— Ça peut attendre! J'en ai encore trop sur le cœur.

Le lendemain, des cierges brûlaient autour d'une petite table. Morina et Naura portaient une voilette noire et Éloy, un brassard noir au bras gauche. La souveraine demanda aux gens réunis de ne conserver que de bons moments et de laisser les mauvais souvenirs loin derrière eux. Elle annonça que sa fille Launa était de retour. Tous applaudirent.

Une question se posait : qui était maintenant le régnant ? Normalement, la royauté échoyait sans hésitation à l'aîné mâle, et non à la conjointe ou à une descendante féminine. Mais le peuple, qui avait été malmené avec le fils du souverain, allait-il choisir Éloy, beaucoup trop jeune pour être monarque, ou préférer que la régnante soit une femme et par-dessus tout une fée ? Un vieil adage disait : le roi est mort, vive le roi ! Il fallait un souverain dès que possible et ce choix était crucial. La paix et la prospérité en dépendaient. Morina envisagea une autre solution qui ne ferait sûrement pas l'unanimité dans sa famille. Des élections. Pour la première fois, au royaume Mysriak, des élections seraient nécessaires pour déterminer un roi parmi des candidats. Quels seraient ces candidats ? La souveraine, Wilbras VI changé en bourrique, Éloy, Naura ou la très talentueuse Launa.

Quelques jours plus tard, Launa et sa troupe arrivèrent. Ce fut très facile pour eux de repérer le château sur l'océan. Ils atterrirent sur une passerelle enneigée. En rentrant dans le château, ils n'y virent personne. La demeure était déserte. Trop fatigués, ils firent un feu et décidèrent que les recherches de Morina et des autres membres de la famille se feraient le lendemain.

CHAPITRE 23

DÉVI WÉVI

Après une bonne nuit de sommeil, ils partirent vers le nord à la limite du territoire. Inféra accrocha la cage aux harnais du dragnard, à un des anneaux où les rênes de guidage passaient. Une pluie verglaçante s'abattait et ralentissait le vol. Les jeunes dragnards qui volaient de leurs propres ailes depuis peu en arrachaient sous cette averse glaciale. Toutes les heures, il fallut interrompre une dizaine de minutes le voyage pour que les dragnardeaux récupèrent. Après quatre heures de déplacement ardu, ils arrivèrent à la limite territoriale, à la cime d'une chaîne de montagnes. Elle se divisait en deux, comme si le tranchant d'une énorme hache d'un géant les avait séparées dans l'axe longitudinal.

L'escarpement de chaque côté de ce ravin formait un long tunnel. À cet endroit, une simple brise se transformait en un vortex de grande magnitude. Ce couloir agissait comme un véritable accélérateur de vent. Impossible pour les dragnards et les yokeurs de survoler cet espace aérien sans risquer d'être emportés et de se fracasser contre les parois rocheuses. De plus, la force du débit de la rivière au fond de cette gorge profonde leur fit comprendre que, s'ils ne réussissaient pas à la traverser par la voie des airs et s'ils tombaient sans s'écraser, leur chance de survie était nulle dans ces eaux tumultueuses.

– En été, les vents sont en général plus calmes, dit l'Elfe complètement trempé et gelé. J'imagine qu'à ce moment-là, les vents au centre de ce canyon seraient tolérables pour permettre une traversée. J'aurais dû le prévoir. Les vents sont maintenant plus intenses en hiver.

– N'y a-t-il pas un autre moyen ? demanda Arméranda.

– Il y a un autre moyen, répondit-il. Il faut aller plus à l'ouest où se termine cette chaîne de montagnes. À plusieurs kilomètres d'ici, là où les montagnes se font moins hautes et où elles rejoignent l'océan.

– Je crains que ce ne sera pas pour aujourd'hui, affirma Picou qui se faisait brasser la cage par de solides bourrasques.

La pluie verglaçante se transforma en glace compacte aux dimensions de plus en plus appréciables. Elle rebondissait comme des balles caoutchoutées et faisait un bruit d'enfer en s'abattant au sol et en brisant les branches d'arbres.

– Le verglas ! s'écria Adora. Vite, mettons-nous à l'abri !

Ils s'enfoncèrent dans les bois. Les dragnards et les yokeurs furent freinés par la densité de la forêt. Malgré cet obstacle, ils les suivirent. Le groupe s'arrêta devant une double porte intrigante et intégrée à la base d'un arbre deux fois centenaire, situé à la limite d'une pointe rocheuse. Ce pin était immense et s'élevait dans le ciel à tel point que la cime n'était pas visible sous ce verglas.

– Je n'ai jamais remarqué cet arbre, affirma Waldo. Et pourtant, je me plais à parcourir mes terres.

– Il n'a sûrement pas poussé en une nuit, constata Picou encore tout étourdi par la traversée de la forêt, suspendu à Féerie.

– Curieux, dit Arméranda. Les portes sont là comme une invitation. Je ne sens aucune onde négative. Est-ce que je cogne ?

– Qu'est-ce qu'on a à perdre ? dit Andrick, la capuche descendue jusqu'au nez pour le protéger du vent froid. Soit qu'on nous invite, soit qu'on nous rejette.

– Et puis, toute cette glace autour de nous, dit Nina. Impossible de se construire un abri.

– Oui, oui, dit Adora en grelottant. Vas-y, cogne !

Arméranda frappa trois petits coups. Les portes s'ouvrirent automatiquement et un vacuum l'aspira à l'intérieur. Elle eut juste le temps de prendre la main de Nina avant de disparaître au cœur de cet arbre. Impossible d'arrêter ce phénomène. Toutes les deux étaient happées à l'intérieur de ce gros tronc, ne sachant si elles montaient vers le ciel ou si elles descendaient dans les profondeurs.

Elles entendirent un gros bruit sec et les portes se refermèrent.

Le reste de la troupe resta interdit à l'extérieur. Nina et Arméranda venaient de disparaître. Les portes s'ouvrirent à nouveau et un homme vêtu d'une cape verte en sortit.

– Désolé, dit-il à tous. Mon système d'ouverture automatique des portes est mal synchronisé.

Comme personne ne s'activait, il poursuivit :

– Vos amies sont sauves, je m'appelle Dévi Wévi. Bienvenue chez moi !

Une fois tous à l'intérieur de sa résidence souterraine et après avoir sécurisé les animaux dans un hangar et les avoir nourris, la troupe des chevaliers du Dragon rouge, Adora et Waldo firent connaissance avec les autres membres de la famille Wévi autour d'un bon feu de foyer. Andrick fit les présentations, en n'oubliant pas le compagnon d'Inféra. Ce dernier raconta sa mésaventure 150 ans plus tôt. Dévi sympathisa avec le triste sort de Picou et l'invita à se mettre à l'aise. Picou exprima le souhait de se libérer de sa cage. Inféra ouvrit son manteau encore humide et le mit dans une des poches de sa veste. Un gentil Yorkshire le reniflait et suivait la dragon-fée de près. Picou regretta aussitôt sa décision.

– Je vous présente mon épouse, Marianne. Et voici mes enfants, le plus vieux qui a maintenant 14 ans, Vanou, Chocolatine, 12 ans, Nouga, 6 ans et Kiki, notre chien.

Sa conjointe les convia à se mettre à l'aise et à se dévêtir de leur manteau. Elle prit leur manteau et les plaça dans un placard pendant que Picou couinait les vêtements encore à moitié humides et suppliait sa compagne d'agir, au risque de piquer une crise. Kiki se collait aux jambes de sa compagne.

– Justement, ne pourriez-vous pas éloigner Kiki ? C'est pour mon ami Picou. Quand il s'emporte, il peut... provoquer un accident... irréparable, suggéra Inféra bien que ce ne soit jamais arrivé.

Dévi Wévi acquiesça et le fit disparaître dans une petite pièce attenante à la cuisine. Bien que la taille de l'hôte soit grande, sa conjointe le dépassait d'une tête. Sa peau noire et ses cheveux blancs contrastaient avec son conjoint à la peau claire et aux cheveux châtains. Les trois enfants avaient par contre un teint brun doré, comme un chocolat caramélisé.

— Vous vivez sous terre, demanda Nina qui n'appréciait pas les lieux sans fenestration.

Le maître de maison comprit son allusion et sourit à ses invités.

— Ce n'est pas par choix. Les Elfes noirs aiment les profondeurs, mais... ne suis-je pas un constructeur ? J'ai exploité l'intérieur de cet arbre situé sur une pointe de la falaise. J'ai réussi un heureux compromis entre mon intérêt et celui de ma famille. Venez, je vais vous faire visiter ma résidence.

C'est avec une démarche nonchalante qu'ils parcoururent les diverses pièces.

— Voici la salle à manger, le salon, la cuisine, la chambre de Vanou, de Chocolatine, de Nouga et enfin la nôtre.

Partout, un décor assez similaire, des pièces sombres éclairées par des bougies et un lanterneau qui était à ce moment-là couvert de neige. Dévi n'avait pas d'autres pièces à montrer.

— Je ne vois pas de compromis, dit Inféra.

– Ah! Ah! Voici la pièce… de résistance, blagua-t-il en poussant une paroi pliante située au fond de leur chambre à coucher.

À mesure qu'elle se déplaçait, une grande luminosité pénétra. Elle provenait de cette pièce aux dimensions hors du commun. Un espace ouvert et aérien s'offrit à eux. Une passerelle conduisait à une mezzanine principale suspendue à une paroi vitrée légèrement arquée. Au-delà de cette cloison transparente, une vue spectaculaire de la rivière et de la falaise de la rive opposée.

– C'est magnifique, dit Arméranda subjuguée par le paysage.

– C'est immense, déclara Nina.

– Du jamais vu, s'étonna Andrick en admirant une vue splendide sur 180 degrés.

– J'ai profité de la falaise pour construire un mur-rideau, c'est comme ça que j'appelle cette construction. Je voulais plein de lumières; alors, j'ai créé une structure en acier et installé des panneaux de verre. J'ai remarqué que les parois devenaient très froides en hiver. J'ai installé des souffleurs d'air chaud en bas et l'air chaud monte en réchauffant toutes les parois. J'ai appelé ça de la convection. En plus, cet air chaud et sec enlève beaucoup d'humidité.

— Renversant ! s'exclama Inféra.

— Suivez-moi, dit Dévi tout excité.

Marianne et les enfants se joignirent à eux. Ils traversèrent la passerelle et les invités remarquèrent plus bas deux autres mezzanines suspendues à la cloison vitrée, une prouesse architecturale. Sur la première mezzanine, des fauteuils et des petites tables étaient alignés le long des fenêtres et n'avaient qu'une fonction : admirer la vue panoramique.

— C'est ici que j'aime relaxer, réfléchir et savourer mon thé. Un étage plus bas, ce sont mes serres, mon atelier de bricolage et, tout en bas, mon laboratoire d'alchimie. Venez !

Ils descendirent d'un étage. Les serres étaient bien ventilées et se poursuivaient à l'autre niveau. Divers légumes et fruits y poussaient, surtout des tomates de toutes les formes et variétés. Au troisième plancher, ils entrèrent dans un atelier de bricolage moins bien organisé. Ici et là, des bouts de bois, de métal et de tissus traînaient. Par contre, les haches, les scies et les autres outils étaient en sécurité et bien rangés dans des étagères. Un peu plus loin, ils pénétrèrent dans une autre pièce.

— Le laboratoire, dit-il en démontrant un grand enthousiasme.

Tout était d'un blanc immaculé. Les invités restèrent figés au seuil de la porte en entendant des bruits de liquides qui bouillottaient et qui sifflaient, et à la vue de fioles, de béchers, de burettes graduées, d'ampoules à décanter et de brûleurs étalés sur un long comptoir.

— Voici mon laboratoire, répéta-t-il avec fierté et surpris de leur pétrification soudaine. Allez, entrez!

Marianne et ses enfants rentrèrent les premiers et les invités les suivirent sur la pointe des pieds.

— Ne vous inquiétez pas. Ce sont des expériences contrôlées. Rien ne va sauter. En tout cas, pas aujourd'hui. Eh oui, ç'a déjà explosé, hé hé hé, fit-il en riant... plusieurs fois et je n'en suis pas mort.

Dévi Wévi était un grand passionné de réactions chimiques. Il aimait les expériences de toutes sortes. Une fois que le groupe eut vaincu son appréhension face à cet espace si étrange, il expliqua de long en large ses recherches. Il avait créé des ampoules qui s'allumaient à partir d'une pile alimentée par deux pommes de terre. Une rondelle de cuivre servait de borne positive et un clou en zinc, de borne négative. Malgré son enthousiasme débordant, les visiteurs ne comprenaient pas cet envoûtement du fait de faire briller une ampoule à l'aide de deux patates. En voyant leurs mines désintéressées, il comprit que l'intérêt n'y était pas. Marianne vit sa déception et dit :

– Tu es un inventeur et un mari merveilleux !

– Ouais, ouais, je sais, je suis le plus farfelu des magiciens. J'ai développé un tissu très résistant et... d'accord ! Ça ne vous intéresse pas.

– Pas vraiment, dit Adora.

– Mais, d'où venez-vous ? demanda Andrick.

– De Pomrond.

– Vous venez de Pomrond ? dit Nina. Il fallait le dire plus tôt !

– Quoi ? Ça ne se voyait donc pas qu'il n'était pas d'ici. Son teint est aussi clair qu'une soupe au lait, blagua Marianne.

– Étiez-vous un des magiciens transporteurs d'œufs ? demanda Inféra.

Il ouvrit grand les yeux avant de dire :

— Mais oui. Mais j'y pense, vos cheveux roux et bouclés, c'est… Inféra et toi, voyons… Adora. Suis-je bête pour ne pas vous reconnaître ? Vous avez drôlement grandi ! Ben voyons, ça doit faire… dit-il en comptant sur ses doigts.

— Ça fait 150 ans, répondirent en chœur Adora et Inféra.

— Et, avec toi Inféra, il y avait… euh… Philémon. Oui, c'est ça, ton protecteur, puisque tes parents, Ramon et Flavie, t'ont laissée avec lui et ont fait partie du groupe des transporteurs.

Elle le regarda incrédule. Il n'y avait pas de Philémon qui vivait avec elle comme protecteur.

— C'est moi, dit Picou de sa voix grave.

— Toi !? s'étonna Inféra.

— C'est moi qui ai implanté cet œuf à une jolie et très jeune fée. Elle est maintenant devenue une élégante dame et moi, je ne suis encore qu'un rat véreux. Du magicien magnifique que j'étais, je suis devenu Picou le rat.

— Ah ! fit en chœur la famille Wévi.

— Philémon, c'est beaucoup plus joli que Picou, dit la dragon-fée.

— Je sais. À cinq ans, tu n'étais qu'une enfant et tu n'étais pas capable de prononcer mon nom. Par contre, Picou fut plus facile à articuler.

– Oh ! Désolé, Picou... je veux dire, Philémon.

– Oh ! Tu es excusée. Je serai toujours Picou pour toi tant que je serai un rat.

– Encore, désolée... Picou.

Il y eut un silence.

– Où sont mes parents ? demanda-t-elle à Dévi.

– Je ne sais pas où ils en sont. La dernière fois que je les ai vus, ils filaient de l'autre côté du canyon.

– Pourquoi vous n'êtes pas avec eux ? demanda Adora.

– Un problème de logistique. Mon dragnard, Ariol, est mort de vieillesse et peut-être bien de fatigue. À l'époque, il avait 41 ans. C'était un vieux dragnard, fit-il en abaissant le feu d'un erlenmeyer où bouillonnait une vapeur rosâtre.

Cette vapeur atteignait un réseau de filage fait de conduits transparents pour aboutir dans une éprouvette sous forme de liquide fuchsia. Il fit le tour des appareils, dont certains crachaient des fumées blanches. Dévi parut satisfait.

— Bon, tout est sous contrôle. Pourquoi ne pas poursuivre cette belle conversation au salon de la mezzanine, puisque mon labo ne semble pas vous enchanter ? badina-t-il.

Tous acquiescèrent.

Marianne avait préparé un gros bol de pommes de terre frites et une curieuse sauce rouge.

— Du ketchup, fit-il en sauçant une frite dans la trempette rouge. Excellent avec les frites et la viande. Je ne suis pas friand de viande, alors j'en mets beaucoup. Ça masque le goût. Allez ! Essayez ça !

Les enfants, eux, ne se gênèrent pas. Ils y allèrent à fond la caisse. Les visiteurs exprimèrent un étonnement agréable.

— Hein ! C'est bon, n'est-ce pas ? J'ai tellement de tomates que j'ai inventé une sauce pour accompagner les frites.

— Délicieux, dit Waldo. Vous étiez quatre magiciens lors de votre départ ?

— Non, sept. Quatre visibles et trois invisibles.

— Invisibles !?

– Oui, à Pomrond, nous avons développé un nouveau tissu connu de quelques enchanteurs. La soie est l'unique fibre utilisée. À Dorado, la soie était très rare et nous provenait au compte-goutte de Dragroux, mais ici, les Elfes en font toute une industrie. Bien sûr, je n'ai pas accès à ce fil si précieux, mais lorsque leur vêtement est trop usé, ils le jettent dans un gros coffre à l'arrière du château. Lorsqu'il est plein, ils les font brûler. Je le récupère avant qu'il ne soit incendié. J'avais un complice, un Elfe qui me l'apportait pour une pièce d'or. À mon laboratoire, je le nettoie, le décolore et l'amalgame avec un lait de transformation à base d'un ingrédient secret. Je le tisse, euh… façon de parler, je le transforme en tissu, devrais-je dire.

Il rit et poursuivit :

– Par la suite, sur un côté, je le badigeonne très légèrement avec une eau de rose légèrement acidulée de vinaigre de framboise qui réagit au lait de transformation. Et…

– Et ?… reprit le groupe en chœur.

– Il y a un côté visible et un côté invisible. Voulez-vous voir cette merveille que j'ai drôlement améliorée ? Beaucoup plus résistante que les trois autres capes.

– Oui, dit le groupe en chœur.

– C'est au labo, dit-il en sautant d'enthousiasme sur ses deux pieds.

Ils redescendirent au labo. Là, il ouvrit un tiroir d'un classeur et souleva deux longues capes en soie bleu nuit et aux reflets argentés avec capuchon.

– Splendide, dit Inféra.

Il prit une des capes, l'inversa et recouvrit Inféra. Elle disparut aux yeux de tous.

– Ah! s'exclamèrent les visiteurs.

– Qu'est-ce qu'il y a? demanda Inféra inconsciente de son invisibilité.

– On ne te voit plus, dit Arméranda.

– Vraiment?!

Il mit la deuxième sur Adora qui disparut à son tour.

– Mais, je vois Inféra.

– C'est ça qui est merveilleux! s'enthousiasma Dévi. Ceux qui sont plongés dans l'invisibilité se voient. Une autre amélioration que j'ai apportée. La cape est tellement légère qu'on a l'impression de ne rien porter. Nous étions trois à avoir des capes d'invisibilité et nous étions les trois transporteurs officiels des quatre œufs de dragon, moi, Brian et Mia. D'ailleurs, c'est Brian qui était le transporteur de l'œuf d'Adora.

Il soupira avant d'ajouter :

– C'était formidable. Nous avons survolé les montagnes au lieu d'emprunter le passage du Vouvret et aussi, j'ai volé au-dessus des Douades sans que ces brutes nous repèrent. Pendant qu'ils étaient trop occupés avec le reste de notre troupe, nous avons traversé un peu plus loin, à l'écart, à environ deux kilomètres. Malheureusement, une fois ma mission accomplie, je n'ai pas pu les suivre dans leur aventure en raison d'Ariol, mon brave Ariol. C'était un bon dragnard, mais… je ne regrette rien. Je me suis installé ici, construit mon labo dans cette falaise, et puis… j'ai trouvé l'amour.

Marianne se pencha pour lui donner un baiser dans le cou. Inféra et Arméranda abaissèrent leur cape.

– Ce ne serait pas pour cette raison que les magiciens ne sont pas revenus, réfléchit tout haut Andrick.

– Je crois bien. À part les enchanteurs et les Elfes, je ne connais pas d'autres peuples qui vivent si longtemps. Leurs dragnards ont fini par mourir et ils se sont trouvés probablement prisonniers sur le dernier territoire.

– Moi et mon frère sommes maintenant des enchanteurs, on se demandait si notre longévité était celle des hobereaux ou des enchanteurs ? demanda Nina.

– La réponse est facile, vous êtes des enchanteurs, confirma Dévi.

Andrick s'attrista. La belle Arméranda ne vivrait pas aussi longtemps que lui. Il n'eut pas le temps de s'épancher outre mesure, car une forte bourrasque fit vibrer le mur-rideau et un formidable craquement se fit entendre.

– Oh ! Pile de patates ! Quelle rafale ! Vite, allons voir si vos bêtes sont bien à l'abri !

CHAPITRE 24

LA SOUCOUPE VOLANTE

Un vent puissant soulevait la neige. On ne voyait que du blanc. Dévi avait raison. Les craquements de la structure du hangar et les sifflements du vent apeuraient les animaux. Ils en profitèrent pour les rassurer et les nourrir. Ensuite, ils calfeutrèrent les ouvertures avec de la paille, réduisant ainsi les sifflements du vent. Le jumeau fut intrigué par un gros objet bizarre en acier, situé au bout du bâtiment. Il pointa l'objet et demanda :

— Qu'est-ce que c'est ?

– Une soucoupe volante, dit-il en dégageant davantage l'engin.

– Mais qu'est-ce qu'une soucoupe volante ? demanda Waldo.

– Ben, un objet volant. C'est un vieux tas de ferraille que j'ai trouvé. La première fois que je l'ai vu, je me demandais bien à quoi ça servait. Pas de roue, une porte et des moteurs. Approchez-vous !

Il brancha une dizaine d'ampoules, fonctionnant à l'énergie de piles de pommes de terre, situées au pourtour de cette grosse chose métallique et en quantité suffisante pour l'illuminer.

– Avec du foin, ces ampoules sont beaucoup moins dangereuses que des bougies, fit-il remarquer.

Les invités acquiescèrent devant cette évidence et s'approchèrent de ce mystérieux objet.

Le diamètre de l'engin volant mesurait environ 10 mètres et s'élevait sur une hauteur de 4,5 mètres. Le métal avait une couleur bleu noir. Il ouvrit des panneaux extérieurs situés à la base inférieure.

– Regardez ! Des moteurs. Tous leurs engrenages fonctionnent sur des billes de rubis. Génial, non ? Pratiquement inusable.

À l'intérieur, il a fallu que je modifie le fonctionnement des turbines qui s'activaient grâce à des piles beaucoup plus efficaces que mes piles aux pommes de terre.

– Wow! Où as-tu appris tout ça? demanda le jumeau.

– De l'observation et de la déduction. Comme on vit longtemps, il faut se désennuyer et moi, j'adore les bébelles et cette soucoupe est un jouet extraordinaire.

– Elle vole? demanda Waldo.

– Bien sûr, à force de me casser les méninges, j'en ai déduit que les pommes de terre faisaient patates, blagua-t-il.

Personne ne réagit à son énoncé.

– C'est une phrase que j'ai inventée, renchérit-il. Faire patates!

Encore aucune réaction.

– Échec total, dit-il pour éclairer leur lanterne. J'ai remplacé la source, poursuivit-il par du charbon et créé une turbine fonctionnant à la vapeur et...

– Sans vouloir t'offenser, on te perd, dit Waldo. Le principal, c'est que ça marche.

– Hé, hé, vous allez être surpris! Dès qu'il fera beau, vous verrez, c'est étonnant!

– Mais d'où vient cet engin? demanda Andrick, épaté.

— D'ailleurs… d'une autre planète.

— D'ailleurs ? demanda Adora.

— Ça doit. Je n'ai trouvé aucune autre explication à cette invention.

Ils allèrent vers l'arrière. Dévi ouvrit une porte et tous pénétrèrent à l'intérieur de la soucoupe. Il appuya sur un bouton et la lumière blanche se diffusa. Il entreprit des explications sur une pile fonctionnant à l'eau salée. Il interrompit son discours en remarquant leur manque d'intérêt.

— C'est grand, dit Inféra. Plus grand que je me l'imaginais. Et à quoi ça servait ?

— À se déplacer d'un endroit à un autre.

— Comme traverser le canyon ? demanda Adora.

— Pour cet engin, c'est un jeu d'enfants. Il vient de tellement loin que j'ignore la distance qu'il a parcourue.

— Il y a assez de place pour nos trois dragnardeaux, fit remarquer Andrick, mais pas assez pour un dragnard et encore moins pour un yokeur

— En effet, je peux transporter les trois dragnardeaux.

— Et nous, qu'est-ce qu'on fait ? demanda Waldo. On ne peut toujours bien pas attendre que la belle saison soit de retour pour traverser le canyon, quand le vent est à son minimum.

Dévi prit la parole :

– Il existe un endroit moins risqué. Pour atteindre l'autre rive, il faut se rendre jusqu'à l'océan Diar. Là-bas, les rives s'élargissent et le vent est encore assez rigoureux, mais beaucoup plus faible. C'est là qu'il faut traverser. On y voit une terre rouge de l'autre côté. Un paysage sablonneux.

– C'est ce que j'en avais déduit, affirma Waldo. C'est bien à cet endroit qu'il nous faudra poursuivre notre route.

– Et les dragnardeaux ? demanda Andrick.

– Ils seront avec moi, dit Dévi et, en moins de 10 minutes, ils seront sur l'autre rive.

Ils avaient tous un air perplexe.

– Vous verrez, demain, le temps sera superbe et je vous ferai une démonstration de mon jouet, ajouta-t-il en claquant sur la coque. En entendant, des chocolats chauds ?

La proposition fut acceptée.

CHAPITRE 25

LES SOUPIRS D'ENNUI

Grâce à la pierre savante, Morina savait que sa fille était tout près d'elle, au château des Charmes situé sur l'océan. Dès que les premiers rayons de lumière de l'aube apparurent, elle alla la rejoindre, accompagnée d'Éxir et de Naura. Les jeunes gens et les quatre hobereaux l'accompagnant s'étaient regroupés et dormaient en rond près d'un feu de foyer, entourés de leur dragnard.

La souveraine réveilla doucement sa fille. En voyant sa mère, elle lui sauta au cou et pleura longuement. Puis, elle salua Éxir et

Naura. Les autres se réveillèrent. Morina les invita à se sustenter au Collège de la magie. Ils se regardèrent d'un air interrogatif. Tout en marchant, Morina dit :

— Vous verrez, c'est un très, très vieux bâtiment qui a résisté à bien des événements. Heureusement que Wilbras VI ne l'a pas trouvé.

— Où est-il ? demanda Launa.

— Il est à sa place, dans une étable, répondit Naura.

— Dans une étable ? dirent en chœur Launa et les deux jeunes compagnons.

— Mère l'a changé en âne, dit Naura en souriant. C'était la seule façon de l'arrêter de faire des bêtises.

— Melvin me l'avait dit, dit la jeune fée.

— Est-ce que Melvin va bien ?

— Il va bien. Hélas ! Le domaine Dagibold a été rasé par le feu. Quelle tristesse !

— Et les jolis dragnards ? demanda sa sœur.

— Sains et saufs, mais ils ne sont pas au mieux de leur forme.

— Allons, mon enfant et vous, mes braves gens, oubliez ça et allons manger ! encouragea Morina.

Elle ne bougea pas d'un iota et le visage des autres membres de la troupe s'assombrit.

— Mère, il faut que je vous dise, j'ai une terrible nouvelle à vous dévoiler.

Morina comprit immédiatement son allusion.

— Je sais, mon enfant. Je l'ai pressenti et la pierre savante me l'a confirmée. Wilbras, notre souverain, est mort.

Launa s'étonna à demi de son apathie. Après tout, le souverain n'avait-il pas démontré une grande injustice et une incompréhension envers sa mère, Naura et Éloy ? Launa était encore trop bouleversée et partagée entre des sentiments d'amour envers son père et de haine pour tous ses gestes désastreux. Elle déclara :

— Je vous comprends, mère.

Lors du repas, elle ne fit aucune allusion à son enlèvement ni à sa captivité. Ce fut en après-midi, seule avec sa mère, qu'elle se confia et lui indiqua qu'ailleurs les femmes pouvaient diriger.

— Justement, dit la souveraine. La mort de mon époux cause un épineux problème. La royauté va automatiquement à l'aîné de mes fils, Wilbras VI.

— Mais, mère, c'est abject, se scandalisa sa fille.

— Compte tenu des circonstances, j'ai pensé à procéder à des élections.

— Des élections ?

— Oui, les dirigeants de chacun des domaines pourront voter pour un des candidats possibles.

— Et quels sont les candidats ?

— Les membres de la famille royale, à l'exception d'Éloy, il est vraiment trop jeune.

— Je serai une des membres ?

— Malgré que je considère que toi aussi, tu es trop jeune, je crois que tu le peux. Les autres candidats pourraient être : moi-même, Naura et Wilbras VI.

— Voyons, maman, tu déraisonnes. Pas mon frère Wilbras !

La souveraine trouva le ton de sa fille déplacé et décela de l'immaturité. Elle était décidément trop jeune pour accéder au trône. Elle regretta son affirmation antérieure. Elle déclara :

— Pour être juste, il faudrait l'inclure. Le peuple en décidera. S'il conçoit qu'il ferait un souverain honnête et à la hauteur pour mener le pays à la paix et à la prospérité, il en sera ainsi. Il y aura les dirigeants de Pomrond, de Verdôme, de Dragroux, du lac Cristal, des domaines des Forges, de Dagibold, du Verger de la Pomme d'Or et des Charmes. Ça fait exactement huit personnes qui décideront du meilleur candidat parmi un choix de quatre. Hummm... Comment pourront-ils faire un choix éclairé ?

— Nous pourrions chacun établir un programme décrivant notre vision pour le pays et le divulguer, conclut Launa.

Morina fut surprise que sa fille prenne cette discussion avec intérêt. Son séjour sur un autre continent l'avait transformée. Elle aspirait à jouer un rôle important au sein de son pays. Elle était donc une rivale importante. Le hic, c'est qu'elle était devenue une fée et que les enchanteurs étaient, jusqu'à ce jour, exclus de l'accès à la monarchie.

— Ma chère fille, tu n'ignores sûrement pas que les enchanteurs n'ont pas le droit de régner, dit-elle, un peu pour la dissuader.

Loin de la décourager, Launa répondit :

– C'est une loi stupide. Ma chère mère, n'y a-t-il pas eu beaucoup de changements depuis quelques mois ? Par exemple, ce château sur l'océan, il ne s'est pas construit en 10 ans, n'est-ce pas ?

– Non, en une demi-journée. Il y avait urgence.

– Et le Collège de la magie a été remis en fonction alors qu'il devait être dans un état de décrépitude ?

– Oui, et c'est une chance. Tu auras le privilège de suivre des cours de magie avec Pacifida, Rutha, Liana, Éxir et Valdémor.

– Ça ne m'intéresse pas.

Cette réponse surprit la souveraine qui la relança :

– Non, alors qu'est-ce qui t'intéresse ?

– Commander comme la commandeure Style.

– Qui est-ce ? demanda Morina.

– Elle était la chef de l'armée et aussi la souveraine du continent Matrok.

Morina fut effrayée. Launa le dit avec une telle assurance qu'elle comprit qu'elle tenait au pouvoir. La souveraine espérait une autre solution plus logique qu'une jeune fée désireuse de diriger un si grand pays et si peu expérimentée. Elle espérait se marier avec Éxir et souhaitait que celui-ci prenne les rênes du pays pour une certaine période de temps. Même s'il était un enchanteur, elle pensait que le temps était venu, que les Doradois adhéreraient à cette solution et que les enchanteurs pourraient exercer leur art et diriger le pays. Si le peuple le voulait, la dynastie des Wilbras serait remplacée par la dynastie des Éxir. Ce que le reste de la famille ne savait pas, c'est qu'à un remariage, les fées pouvaient à nouveau enfanter. Et cette fois-ci, des enchanteurs naîtraient.

En compagnie de ses trois enfants, d'une bourrique, d'Éxir et de Valdémor, Morina regagna son royaume. Sa place était là. Ses deux filles ne souhaitèrent pas qu'Éxir les suive et démontre son amour aussi rapidement envers sa mère. De son côté, Éloy le traitait comme un oncle et était fasciné par ses tours de magie. Valdémor, lui, n'était là que pour faire taire les mauvaises langues. Ainsi, ils furent présentés à la population du royaume de Mysriak comme des conseillers pour redresser le pays. Durant plusieurs jours, Morina s'affaira à régler les dépenses, à engager de nouvelles servantes et à émettre divers décrets, dont un, la nommant reine par intérim en attendant un successeur par voie électorale. Un gros ménage fut fait et le château retrouva ses notes de noblesse.

Launa, assise sur un tabouret, laçait ses nouvelles bottines en compagnie de Naura.

– Qui penses-tu sera le nouveau souverain ? demanda Naura.

– Ce bougre d'Éxir, répondit la jeune fée. D'ici un mois ou deux, je ne serai pas surprise de l'annonce du mariage de ma mère et de ce bougre.

– Mais qu'est-ce qu'elle lui trouve ? C'est vrai qu'il est loin d'être aussi beau que Melvin, soupira Naura.

Launa leva les yeux au ciel ; elle la trouvait ridicule de penser à son amoureux.

– Moi, jamais je ne tomberai en amour.

– D'après toi, ce sera un mariage de cœur ou de raison ?

– Beugh ! ce sera un mariage raté.

– D'après ma mère, Éxir est le plus grand magicien de Dorado.

— Mon œil!

— Il pourrait t'enseigner la magie puisque tu es une fée. Ç'a bien marché avec Andrick et Nina. Je me souviens des enseignements qu'il a donnés le jour de leur départ.

— Tiens! Je les avais oubliés ces deux-là. Les chanceux! Comme j'aurais aimé participer à cette mission au lieu de traîner ici à essayer mes nouvelles bottines.

— Et moi, à me morfondre ici. Je m'ennuie de Melvin.

Elles soupirèrent chacune d'ennui.

— Tu sais, t'es chouette, petite sœur, depuis ton retour.

— Toi aussi, grande sœur.

Dans l'après-midi, Wilbras VI reprit sa forme originale. Morina organisa, pour toute la famille et pour ses accompagnateurs, une cérémonie de funérailles et de pardon dans l'hypogée.

Dépassé par les événements, l'aîné s'excusa auprès de sa mère, de son jeune frère et de ses sœurs. Il comprit qu'il n'était pas bien vu. Dans les jours qui suivirent, il se fit des plus discrets redoutant d'être à nouveau transformé en bourrique. Un grand désespoir l'habitait.

CHAPITRE 26

LA TRAVERSÉE

Le lendemain, chez Dévi Wévi, un épais manteau de neige recouvrait les lieux. Encore une fois, les voyageurs ne pouvaient s'expliquer ce changement irréel en si peu de jours. L'été avait fait place à l'hiver et une bonne tempête s'était abattue la veille. Ce matin, le temps était clément et idéal pour la poursuite de leur mission. Le soleil, le vent caressant et la blancheur au sol les remplirent de joie. Les dragnardeaux se roulèrent dans ce tapis moelleux tandis que les plus vieux dégustèrent ces flocons fondants et rafraîchissants. Les yokeurs étaient, pour leur part, moins enthousiastes. Ils sautillèrent pour diminuer au maximum le contact de leurs pieds avec cette matière froide et préférèrent se nicher dans les branches du pin bicentenaire. Kiki était tout à fait à son aise. Il gambadait dans cette neige folle.

Le hangar était submergé de neige. Pas question de s'épuiser à pelleter. Dévi, Nina, Andrick et Picou s'amusèrent l'un après l'autre à déplacer la neige et à la placer en lui donnant diverses formes.

— Un château de glace pour Vanou, Chocolatine et Nouga, fit Nina en effectuant dans les airs de belles spirales avec sa baguette.

— Oh! oh! dit Dévi, bien pensé. Une glissade pour mes enfants.

Une longue glissade apparut juste à côté du château. Elle s'élevait sur quatre mètres et comprenait de nombreux virages.

— Et moi, une tour pour Kiki, dit Picou, afin qu'il reste loin de moi.

Une tour apparut et Kiki se retrouva au sommet. Pris de vertige, le pauvre se mit à aboyer. Marianne et les enfants partirent à rire.

– Un carrousel fonctionnant au vent et, en l'absence de vent, le centre pourra servir de rond de glace, dit Andrick.

Un joli carrousel de huit chevaux apparut. Chaque cheval avait une couleur différente. Les enfants coururent s'installer et Andrick le fit tourner en créant un vent.

Après une dizaine de tours de carrousel, il était temps de passer aux choses sérieuses : sortir la soucoupe. Les enchanteurs s'activèrent, et elle apparut toute brillante. Elle était plus impressionnante une fois à l'air libre.

– Wow ! dit Inféra. J'aimerais bien faire une promenade dans cet engin.

– Eh bien, soit ! dit Dévi. La belle dame aura le plaisir de se balader dans ce magnifique transporteur. Attention ! Vous autres, vous devez vous éloigner d'au moins une dizaine de mètres.

Ils se distancèrent de l'appareil pendant que Dévi et Inféra pénétrèrent dans l'engin. Un bruit mécanique martela les lieux. Les sons n'étaient guère rassurants. Après quelques émissions d'une fumée noire et dense et quelques sons discordants, l'engin s'éleva. Juste avant de s'élancer vers l'avant, l'appareil émit un épais nuage de particules de carbone qui recouvrit le groupe à l'extérieur. « Oh ! oh ! se dit Dévi, j'aurais dû les prévenir de se tenir encore plus loin. »

L'appareil se propulsa à grande vitesse. À l'extérieur, trop occupés à se nettoyer les vêtements avec de la neige, ils ne virent pas l'engin s'éloigner.

— Mais où est-il ? demanda Andrick.

— Je crois qu'il s'est écrasé au sol, déduisit Waldo.

— Impossible, on ne le voit pas, constata Nina. Le métal est presque noir, on le verrait dans cette neige toute blanche.

— Pour une fois, vous êtes tous mes égaux, badina Marianne. Même Picou, si blanc, est noir.

Personne ne sourit et encore moins ne rit.

— Désolée, dit-elle. Ma blague tombe à plat.

Le silence se poursuivit et un malaise s'installa.

— Euh ! Euh ! Ne vous en faites pas, continua-t-elle pour réparer sa gaffe. L'appareil est déjà loin. D'ici une demi-heure, il réapparaîtra.

Elle avait raison. L'appareil réapparut en émettant un son doux et aucune fumée n'en sortit. Dévi émergea le premier, suivi d'Inféra, qui était ravie.

– C'est tout simplement merveilleux! J'ai eu un petit haut-le-cœur lorsqu'il a accéléré, raconta-t-elle. Par la suite, j'ai pu admirer les montagnes et l'océan.

– Nous sommes tout à fait réjouis, fit Andrick en applaudissant sarcastiquement. Un départ mémorable.

Les carbonisés avaient fini par nettoyer complètement leur visage, mais les vêtements étaient encore sales.

– Désolé, j'ai eu une vague impression que les moteurs pouvaient être encrassés. C'est en appuyant sur la manette de propulsion que j'ai compris l'ampleur des dégâts, dit-il en s'efforçant de ne pas rire.

Par contre, Inféra ne se gêna pas et rit de bon cœur. Ce fut communicatif et tous pouffèrent de rire.

– Bon, allons nous changer, dit Marianne, et nous sustenter.

Après le déjeuner, Dévi remit aux deux porteuses de dragon un mince colis pour chacune.

— Ce sera plus utile à vous qu'à moi, dit Dévi en leur remettant le paquet.

— Qu'est-ce que c'est ? demanda Adora.

— Les capes d'invisibilité.

Elles le remercièrent de ce beau cadeau. Il y eut un certain malaise. Adora réalisa qu'elle quitterait pour la première fois cette Terre des Elfes. Ce présent, ainsi que la mort de son frère, lui rappelèrent que plusieurs obstacles se présenteraient à elle. Toutefois, elle n'était pas toute seule. Elle avait Waldo et les chevaliers du Dragon rouge.

— J'y pense, puisque nous sommes deux dragons, ne faudrait-il pas changer votre nom, nobles chevaliers du Dragon rouge ? badina la jeune Elfe.

— C'est vrai, réalisa Andrick. Pourquoi ne pas s'appeler les chevaliers du Pentacle ?

— Génial ! dit Arméranda, puisque nous devons retrouver les cinq pointes de ce pentacle.

Peu de temps après, les chevaliers du Pentacle s'installèrent sur leur monture, pendant que Dévi monta les trois dragnardeaux à l'intérieur de la soucoupe. Marianne et les trois enfants firent partie de l'équipage pour tranquilliser, au besoin, les jeunes bêtes. Avant de fermer la porte de son engin, il dit :

— Je vais me rendre sur les lieux avec ma soucoupe et vous attendre là-bas. Vous n'aurez aucune difficulté à me retrouver. Hé ! hé ! hé ! Mon véhicule ne passe pas inaperçu.

Cette fois-ci, ils se placèrent loin de l'engin, convaincus de se faire encore une fois emboucaner. La soucoupe s'éleva sans propulser de fumée et devint vite une petite tache dans le ciel. Ils partirent en maintenant le cap en direction de ce point. Ils arrivèrent au lieu décrit par l'Elfe. Les jumeaux éprouvaient une certaine difficulté à contenir leur rire en entendant le fameux yoyi yoyi yoyi hi hi hi, chanté par Adora et son bien-aimé, comme mot de départ à leur yokeur.

Arrivés sur place, ils purent admirer un panorama grandiose : l'océan d'un côté, la neige sous leurs pieds et un sol rougeâtre sur l'autre rive.

— Comment se fait-il que la terre ne soit pas recouverte de neige, là-bas ? demanda Picou en pointant l'endroit.

— La Terre d'Achille, c'est le nom qu'on donne à ce lieu. Il semble qu'elle soit toujours à la même température. On dit que, sous cette terre, il y a une grotte. La température à l'intérieur est maintenue constante par un feu éternel. Je n'en sais pas plus.

— Est-ce que des êtres vivent dans cette grotte ? demanda Adora.

— Probablement, dit Dévi. Sont-ils des humains, des animaux, des divinités ou autres ? Je n'en sais rien.

— Des divinités !? s'interrogea Nina.

— Ça se peut, dit Dévi.

— Ce n'est pas très rassurant, constata Arméranda. Je peux percevoir des présences, mais des divinités, je ne le sais pas.

— Sont-elles méchantes ou bonnes ? questionna la dragon-fée en s'adressant à Dévi.

— Pour tout dire, Inféra, je n'ai aucun indice. Toutes les personnes que je connais qui y ont abouti ne sont jamais revenues. Soit qu'ils ont trouvé ce qu'ils cherchaient et ne désiraient pas revenir, soit qu'ils n'avaient plus leur moyen de locomotion pour revenir, soit qu'ils sont… enfin, ils ne sont plus sur cette terre.

Tous présentèrent une mine de déception, sauf la chevalière de l'Actinide.

– Ah ! Par la bave des crapauds, on ne va pas se laisser dégonfler par des suppositions, se fâcha Arméranda.

– Tu as parfaitement raison, dit Dévi. Il faut relever le défi. Je transporte immédiatement les dragnardeaux de l'autre côté. Puisque ce sont nos derniers moments avec vous, je vous souhaite du succès et...

Il grimaça en forçant un sourire avant de poursuivre :

– Ne soyez pas ingrats, revenez me voir.

La soucoupe atterrit sur le sol rouge. Dévi, sa famille et les trois dragnardeaux foulèrent le sable rougeâtre. Rien ne se passa. Tout semblait sans risque.

Inféra et Adora poussèrent un long soupir. Le reste de la troupe les regarda d'un air interrogateur.

– Je crois que Draha et Spino veulent prendre l'air, annonça Adora.

Personne ne s'y opposa. Lorsque la soucoupe vola au-dessus d'eux et retourna au hangar, Adora et Inféra se transformèrent en dragons. Ils s'envolèrent dans le ciel. La troupe put admirer la force de ces deux bêtes fabuleuses. Ils firent de nombreux tours dans les airs au-dessus de l'océan avant de se poser près des dragnardeaux. Sur la rive enneigée, les observateurs se demandèrent pourquoi les dragons avaient pris autant de temps avant d'atterrir. Ils enfourchèrent leur monture et Waldo s'adressa à la troupe :

— Maintenant, c'est à notre tour !

Quelques minutes plus tôt, les deux dragons entretenaient un dialogue qui aurait fait lever les cheveux des porteuses et des chevaliers du Pentacle.

— Je commence à en avoir marre de n'être visible que peu de temps, dit Draha.

— Moi de même, dit Spino. Ç'en a pris du temps avant qu'ils ne se décident à rechercher les autres membres de notre peuple. Je suis bien content de t'avoir trouvée. Tu es resplendissante !

— Toi aussi, Spino, t'es pas mal ! Tu voles drôlement bien pour quelqu'un qui a été enfermé dans une bulle.

— Moi-même, je me surprends, belle Draha.

– Je déteste tout leur blabla. Les Elfes me tombent sur la rate avec leurs histoires. Ils sont tellement imbus d'eux-mêmes.

– Je ne crois pas. Il m'a semblé que ta porteuse était plutôt sympathique.

– Sympathique, mais elle est tellement calme que ça me rend malade. Elle n'arrête pas de dire qu'elle est en contrôle et qu'elle sait comment dompter son dragon. Il faut que je l'écoute au doigt et à l'œil. J'en ai marre !

– Moi au contraire, lorsqu'elle se fâche, ça m'excite. Ta porteuse, Adora, rassure Inféra et c'est bien. Je crois qu'il faudra continuer le jeu. Du moins, tant qu'on n'aura pas rencontré les autres dragons. J'ai tellement hâte, je crois bien que les petits hobereaux, enchanteurs et Elfes vont en tomber sur le cul, car j'ai bien l'intention de reprendre ma revanche.

– Oh ! Spino. Tu as tellement raison. Je me sens si bien près de toi !

– Moi aussi. Bon, je crois qu'il ne faudra pas les faire languir. Regarde, ils sont là à nous regarder. Je crois qu'ils trouvent qu'on prend trop de bon temps.

– Tu as raison, posons-nous près des gentils dragnardeaux. Tu ne trouves pas qu'ils ont l'air délicieux.

– Entièrement d'accord, chérie!

– Oh! Spino.

– J'ai vraiment hâte de manger à ma faim.

– Et moi, de retrouver d'autres compagnes ou compagnons, les dragons d'eau et d'air.

– Tu sais, j'aime pas trop l'eau, annonça Spino.

– T'en fais pas, tu apprendras.

Ils atterrirent près des dragnardeaux. Le sol rouge était chaud et ils se métamorphosèrent en porteuses.

CHAPITRE 27

LES MARIAGES

Morina fut fort occupée durant les derniers mois de l'hiver. Elle avait finalisé diverses ententes, constitué une nouvelle armée et finalement, après bien des discussions auprès des divers dirigeants, elle fut nommée reine par intérim en attendant que les choses se précisent. Quand ? Personne n'avait précisé de date. Maintenant, le peuple n'ignora plus qu'il y avait eu des dragons et qu'il en existait au moins un. Un jour, ils allaient revenir et la vie n'en serait que meilleure. C'est un peu dans cet esprit que Morina s'imposa comme souveraine par intérim. Elle décréta qu'elle règnerait en attendant le retour des cinq dragons. Le peuple ne s'opposa pas à cette décision, ni même Launa. L'idée d'organiser des élections était trop nouvelle et le moment, inapproprié. La princesse savait qu'elle était trop jeune et personne ne la prendrait au sérieux. Mais ce qui l'enragea le plus, ce fut l'annonce du mariage de sa mère, un certain soir du mois de janvier, en plein repas.

– Ce sera à la mi-avril quand les premiers perce-neige pointeront.

Launa faillit se retirer de la salle à manger, tandis qu'Éloy s'enthousiasma d'avoir comme beau-père un magicien. Wilbras VI ne réagit pas et Naura se renfrogna. Son visage s'éclaircit lorsque la souveraine poursuivit :

– J'ai envoyé quelques enchanteurs aider la famille Dagibold pour que leur domaine soit aussi beau qu'avant. J'ai fait construire un autre manoir tout près, puisque Melvin souhaite ardemment prendre comme épouse ma fille Naura.

– Oh ! maman, c'est ma plus belle journée !

– Dès la semaine prochaine, tes fiançailles seront organisées, si tu n'y vois aucun inconvénient.

– Bien sûr que non, mère, de répondre Naura.

– Et si tu le veux bien, ton mariage coïncidera avec le mien.

– Un double mariage ! se réjouit l'aînée des filles.

– C'est de la manipulation ! s'écria Launa.

Morina faillit se choquer contre sa fille si rebelle. Heureusement, Éxir apposa sa main sur la sienne pour la calmer. Il prit la parole :

– Chère Launa, vous devez vous contrôler et si vous voulez être une fée, une vraie fée, et un jour devenir une reine, il vous faut apprendre à respecter l'autorité. C'est pourquoi, demain, Valdémor, toi et moi-même irons au Collège de la magie. En tant que princesse et fée, vous devez apprendre les rudiments du Grand Art.

– Mère, je ne veux pas y aller ! cria-t-elle.

– Tu iras, dit Morina, c'est mon souhait. Tu seras pensionnaire là-bas et on t'enseignera les bonnes manières.

La jeune princesse se mordilla la joue pour ne pas pleurer. Son âme cria : injustice.

Il en fut ainsi. Tel que formulé par sa mère et Éxir, elle quitta le château de Mysriak. Elle devint la première élève royale à suivre les enseignements d'Éxir, de Valdémor, de Pacifida, de Zéphire et de ses deux nièces.

CHAPITRE 28

LE SABLE CHAUD

Les chevaliers du Pentacle étaient à nouveau réunis. Arméranda apprécia encore une fois la puissance de Féerie, une belle bête au pelage brun, le dragnard d'Inféra. Horus eut quelques difficultés à affronter les vents. Malgré qu'il ne soit pas chargé, il atteignit la côte tout essoufflé. Heureusement que sa cavalière avait choisi une autre monture.

Dès leur arrivée, Inféra communiqua sa mauvaise humeur, prétextant qu'il faisait trop chaud. Andrick attribua ce comportement au fait qu'Arméranda avait emprunté son dragnard. À part de la dragon-fée, tous apprécièrent la température de ce sable en marchant nu-pieds. Ces terres sans vie s'étendaient sur des kilomètres à la ronde.

— Tu devrais essayer ça, dit Picou. C'est comme des petits massages. Ça fait du bien.

— Non, jamais de la vie ! Je n'ai pas envie de me brûler les pieds, répliqua la dragon-fée, ni d'avoir des cloques.

— Tu sais, je commence à en avoir assez de tes sautes d'humeur, riposta son compagnon.

— Et moi donc, de tes sages conseils de vieux…

— Arrêtez, dit Andrick, vous me donnez le tournis avec vos histoires. On dirait que vous êtes un vieux couple désemmanché.

La jumelle rit et elle s'exclama :

— Foi de vipère, d'où tu sors cette expression.

— De mon cru.

Arméranda promena son regard tout autour sur cette terre rougeâtre. Elle mit une main au sol et déclara :

— Je sens des vibrations… hum… maléfiques.

En réalité, elle percevait que les deux porteuses n'étaient pas au meilleur de leur forme. Bien des inquiétudes se lisaient sur leur visage, peut-être plus de la peur que des soucis.

— Mais il n'y a rien sur ce sol, dit Waldo désemparé. Rien qui pousse, rien qui vit. Pas d'arbres, rien que quelques arbrisseaux chétifs.

Chaque matin, il se levait, mangeait et s'entretenait avec sa douce. Ce paysage si stérile le déstabilisait.

— Qu'est-ce qui est mieux ? demanda Adora. Voler en plein centre de ce désert ou le long du littoral ?

— Mon intuition me dit de longer le littoral, répondit Arméranda. Tous les fleuves et les rivières se jettent dans l'océan. Nous avons de l'eau, mais pour combien de temps ? En plein centre, je ne suis pas sûre d'atteindre une source d'eau potable.

— Bien pensé, dit Picou. Allons-y !

Ils survolèrent le littoral. Aucune rivière, ni même un ruisseau ne se jetait à la mer. Le rivage était, à certains endroits, plat et, à d'autres, escarpé. Vers les 19 h, ils atterrirent là où se trouvaient de drôles de sculptures creuses en forme de flûtes courbes. Ces dernières ne manquaient pas d'intriguer les voyageurs.

Nina vola entre ces structures aux formes amusantes pour écouter la musique qui s'en dégageait. Une fois sa curiosité comblée, elle contempla le paysage insolite.

– C'est incroyable, dit Nina. On ne voit que du sable.

– Moi non plus, je n'aurais pas cru que cette plage s'éterniserait sur des kilomètres de long, surenchérit Andrick.

Un silence plana et, après avoir mangé, la troupe s'installa pour dormir autour d'un feu. Inféra se coucha près d'Adora et Picou, près de sa compagne de vie. Waldo s'étendit non loin de sa bien-aimée tandis que Nina, Andrick et Arméranda formèrent un autre groupe. Une fois que tous se furent endormis, cette dernière secoua les jumeaux.

– Pssst ! fit Arméranda en enlevant la couverture qui recouvrait le jeune magicien.

– Mais qu'est-ce que tu fais là ? demanda-t-il, fâché de se faire réveiller.

– Chut ! J'ai un secret à vous dire à tous les deux.

– Quoi ? fit Nina en bâillant.

– J'ai un sentiment étrange. Un peu comme il y a quelques semaines avant de traverser le mont Olympe.

– Continue, dit Andrick.

– Un sentiment d'impuissance, eh bien, je crois que les porteuses ont cette sensation.

– Explique-toi, dit Nina.

– Tout comme moi, elles ne veulent pas partager leur crainte. Je crois que les dragons ont pris le dessus. Cette balade de Draha et de Spino m'a paru trop longue.

– C'est vrai, dit Nina. J'ai ressenti cette même impression.

– Si c'était le cas, Inféra ou Adora nous l'aurait dit, suggéra Andrick pressé de se recoucher.

– Justement, elles ont peur et elles ne veulent pas nous en faire part. Comme moi, lorsque j'avais perdu mon hypersensibilité, je ne voulais pas en parler.

– Elles garderaient ce secret pour ne pas nous affoler, résuma Nina.

– Je crains que oui. Bon, dormez bien. C'était tout ce que j'avais à dire. Trois personnes avisées valent mieux qu'une.

Ils dormirent d'un sommeil agité. À certaines occasions, le moindre bruit suspect les réveilla. Ils craignirent l'apparition d'un ou deux dragons à côté d'eux. Fort heureusement, au petit matin, les chevaliers du Pentacle étaient tous là, comme la veille. Ils poursuivirent leur mission.

À NE PAS MANQUER
Tome 4

LE DIAMANT DE LUNE

Dans la même série

www.ada-inc.com
info@ada-inc.com